Hedda Zinner
Die große Ungeduld

Buchverlag Der Morgen
Berlin

Hedda Zinner

Die große Ungeduld

Erzählung

ISBN 3-371-00179-2

1. Auflage
© Buchverlag Der Morgen, Berlin 1988
Lizenznummer: 48-48/53/88
LSV 7001
Lektor: Eckhard Petersohn
Gesamtgestaltung: Eva und Bernd Haak
Printed in the German Democratic Republic
Gesamtherstellung: Druckhaus Aufwärts, Leipzig
III/18/20 · 292/88
Bestellnummer: 695 708 6
00750

Anne sah auf die Uhr. Sie hatte beim Frühstück getrödelt, nun mußte sie sich beeilen. Gregors Dienst begann sehr früh, sie blieb dann noch im Bett und frühstückte allein. Nur an den Wochenenden war das anders.

Sie räumte das Geschirr ab, überzeugte sich, ob die Beiträge, an denen sie zu Hause gearbeitet hatte, sich in der Aktenmappe befanden, warf einen Blick in den Spiegel und machte sich auf den Weg.

Beim Briefkasten blieb sie noch einmal stehen, ließ die Zeitungen darin, entnahm ihm einen Brief, auf dessen Umschlag sie den Poststempel von Westberlin bemerkte, und dachte: Endlich! Endlich!

Der Sohn hatte lange nichts mehr von sich hören lassen, welche Sorgen hatte sie sich gemacht. Sie schob den Brief in die Tasche, lesen würde sie ihn später, in Ruhe. Zärtlichkeit erfüllte sie, wie immer, wenn sie an den Jungen dachte. Er hatte ihr viel Kummer bereitet, zuerst die Sache mit dem Tagebuch, dann seine politischen Aktivitäten. Nicht, daß sie all das billigte, aber mit den Jahren begann sie manches zu verstehen.

Gewohnheitsmäßig fuhr sie mit der Straßenbahn, stieg um in den Bus, hatte noch fünf Minuten Fußweg, um ihre Arbeitsstelle zu erreichen.

Die beiden Fahrstühle waren unterwegs, und sie wollte nicht warten. Sie rannte die Treppen hinauf und kam atemlos an.

Sie mußte durch das Zimmer der Sekretärin und erwartete das übliche »Schon wieder, Kollegin Lehmbrück«. Aber Gudrun König warf ihr nur einen vorwurfsvollen Blick zu und schwieg. Dafür begrüßte Ingrid Fabian, mit der Anne das Zimmer teilte, sie mit komischem Ernst: »Zehn Minuten zu spät, Kollegin Lehmbrück.«

Anne mußte lachen.

»Hat sie nichts gesagt?« fragte Ingrid.

»Erstaunlicherweise nicht«, antwortete Anne. Sie begrüßte die Kollegin, mit der sie eine langjährige Freundschaft verband, überflog dann mit schnellem Blick die Papiere auf ihrem Schreibtisch, ordnete sie nach Wichtigkeit, setzte sich, um endlich den Brief ihres Sohnes zu lesen.

»Von Peter?« fragte Ingrid. Sie kannte die ganze Geschichte und nahm an dem Schicksal der Freundin teil.

Anne nickte. Aber noch ehe sie den Umschlag öffnete, sah sie, daß dieser Brief nicht von ihrem Sohn war. Ein fremder Name, eine fremde Adresse. Eine unerklärliche Angst überfiel sie. Sie zögerte, dann riß sie den Umschlag mit einer hastigen Bewegung auf. Kein Brief, nur ein Zeitungsausschnitt. Fettgedruckt die Überschrift: »Tod eines Terroristen«, darunter ... das Bild von Peter.

»Hast du etwas?« fragte Ingrid Fabian. Dann stürzte sie zu Anne, die, das Gesicht auf der Schreibtischplatte, zusammengesunken dasaß und stöhnte.

»Anne, was ist mit dir?« Vorsichtig versuchte Ingrid die Freundin aufzurichten, es gelang ihr nicht. Dann erst entdeckte sie den Zeitungsausschnitt. »Mein Gott, Anne, das ist doch ... das kann doch nicht sein ...«

Das Stöhnen verstummte. Annes Kopf schwankte, als hätte sie keine Kraft, ihn zu halten.

Ingrid nahm den Zeitungsausschnitt. Eine Meldung, sensationell aufgemacht, typisch »Bild-Zeitung«. »Dem Verfassungsschutz ist es zu danken, daß der Versuch einer Terroristengruppe, inhaftierte Komplizen zu befreien, vereitelt werden konnte. Die Polizeijagd gestaltete sich dramatisch, einer der Terroristen, ein gewisser Peter Lehmbrück, der den Anweisungen der Polizei nicht Folge leistete, wurde dabei erschossen. Der Tod des jungen Mannes entbehrt nicht einer gewissen Tragik. Seinen Vater verlor er in Stalins Zwangslagern, seine Mutter, Journalistin und Mitglied der SED in Ostberlin, die über die Zustände in Sowjetrußland ein Tagebuch führte, welche das ›Signal‹ in Auszügen veröffentlichte, wurde dieser Veröffentlichung wegen von ihrer Partei gemaßregelt. Der Sohn verließ die DDR nach den Enthüllungen über den Personenkult 1956, enttäuscht und verbittert, aber offensichtlich kam er hier auch nicht zurecht und schloß sich einer Terroristengruppe an.«

»Entsetzlich, schon die Art, wie sie so etwas aufmachen ...«

Anne schwieg. Sie stand auf, mußte sich aber an Ingrid festhalten, um nicht zu fallen.

»Ich bringe dich nach Hause«, sagte Ingrid entschlossen. »Ich rede mit der König. Oder soll ich deinen Mann anrufen, damit er dich mit dem Wagen holt?«

Anne schüttelte den Kopf.

»Nicht. Bitte nicht.«

»Was ist mit ihr?« fragte Gudrun König weniger erschrocken als erstaunt. »Ist sie krank?«

»Das sehen Sie doch«, antwortete Ingrid zornig. »Ich bringe sie nach Hause.«

Die König nickte. Anne Lehmbrück sah wirklich erbärmlich aus, sie konnte sich kaum auf den Beinen halten.

»Ich rede mit dem Chef«, sagte die König plötzlich in ganz anderem Ton. »Vielleicht läßt er sie mit seinem Wagen nach Hause bringen.«

»Das wäre schön, danke«, sagte Ingrid. »Sollen wir hier warten?«

Die König wählte bereits und deutete Ingrid nur mit einer Kopfbewegung an, sie möchten sich setzen.

Der Chef war einverstanden, und Frau König verständigte den Fahrer.

Anne ließ sich von Ingrid zum Fahrstuhl bringen. Etwas in ihr hatte aufgehört zu funktionieren, ihr war, als müsse sie sich festhalten, um nicht zu fallen. In ihrem Kopf kreiste ein wirres Durcheinander von Schrecklichem, dem sie sich ausgeliefert sah. Peter, den sie verfolgten, Peter, auf den sie schossen, Peter, der zusammenbrach. Der Gedanke an Gregor brachte keine Erleichterung, eher zusätzliche Belastung. Sprechen müssen, darüber sprechen müssen, unerträglich, unvorstellbar!

Der Fahrer half ihr in den Wagen, sein mitleidiggutmütiges »Jeht Ihnen wohl nich jut?« beantwortete sie nicht.

»Kollegin Lehmbrück ist krank«, erwiderte Ingrid für sie. »Wird höchste Zeit, daß sie ins Bett kommt.«

Der Fahrer nickte und fuhr los.

Wenn Gregor sagt, das habe er kommen sehen, ist es aus mit uns beiden, dachte Anne. Er wird mich nicht verstehen, kann mich gar nicht verstehen. Für ihn ist es wahrscheinlich eine Erlösung. Wenn die Sprache auf Rainer und die Zeit in der Sowjetunion kommt, verschließt er sich. Am liebsten würde er davon gar nichts hören.

Sie waren angekommen. Anne versuchte allein auszusteigen, es gelang ihr nicht, sie knickte zusammen. Ingrid und der Fahrer brachten sie nach oben.

»Alles Gute, Kollegin Lehmbrück«, sagte der Fahrer. »Sie werden sich schon wieder erholen.«

Ingrid zog sie aus und deckte sie zu. Das Liegen entspannte ein wenig.

»Jetzt rufe ich deinen Mann an«, sagte Ingrid.

Anne schwieg, aber sie widersprach nicht mehr. Sie hörte, wie Ingrid im Nebenzimmer telefonierte. Was sie sprach, konnte sie nicht verstehen. Ihre Gedanken kehrten zurück, immer wieder zu dem Ausgangspunkt, durch den alles Weitere ausgelöst worden war.

XX. Parteitag der KPdSU 1956. Damals, bei der großen Auseinandersetzung zwischen Peter und ihr, war Gregor dabeigewesen. Peter war fortgegangen, ohne sich noch einmal umzusehen. »Du hast gelogen, Mutter. Dein Schweigen war eine Lüge.« Die Tür schlug zu. Sie starrte ihm nach, wartete, daß er zurückkomme, sie wollte es einfach nicht glauben. Im Treppenflur hörte sie Schritte und hielt den Atem an. Doch es war nur irgendein Mieter, der vorbeikam.

Qualvoll empfand Anne plötzlich jene trostlose Leere wieder, die sie damals empfunden hatte. Jenen dumpfen Schmerz, der alle Nerven lähmt. Sie erinnerte sich, daß Gregor versucht hatte, sie zu trösten, und daß sie seine Worte »Heute abend ist er wieder da, wirst sehen, er kriecht zu Kreuze« nur reizten. Sie war damals ungerecht gegen Gregor gewesen, weil er ihr nicht half und weil sie sich selbst nicht helfen konnte. Es war alles so widersprüchlich. Sie selbst hatte Peter verurteilt. »Er hat kein Recht, so mit mir zu sprechen, er ist alt genug, um zu begreifen, wie mir zumute ist.«

Da ergriff Gregor mit einemmal für Peter Partei, obwohl er ihn vorher angefahren hatte. »Vergiß nicht, was für den Jungen alles zusammengebrochen ist.«

Sie hätte sich freuen müssen, daß Gregor Peter in Schutz nahm, aber so weit war sie damals noch nicht. »Für mich nicht?« fragte sie. »Glaubst du, diese Jahre waren einfach für mich?«

»Bei dir waren es immerhin Jahre«, war Gregors Antwort, »bei ihm kam alles auf einmal!«

Erneut sah Anne das Gesicht Peters, wie damals, fremd, verstört, Peter der Ruhige, Ausgeglichene. Schlagartig veränderte es sich, die Augen wurden groß, starr, Augen wie auf dem Foto in der »Bild-Zeitung«. Ich werde noch wahnsinnig, dachte sie. Das wäre vielleicht eine Rettung. Ob ich zu seinem Begräbnis fahre? Zu dem Begräbnis eines Mannes namens Peter Lehmbrück, der in Westberlin erschossen worden war? Nicht denken, nur nicht denken ...

Sie hörte, daß Ingrid aus dem Nebenzimmer kam, verstand ihre Worte – »Dein Mann wollte wissen, was geschehen ist, aber durchs Telefon konnte ich es ihm nicht sagen. Er wird gleich dasein« –, aber sie rührte sich nicht.

»Ich bleibe noch, bis dein Mann hier ist«, sprach Ingrid weiter, dann erst merkte sie, daß Annes Augen geschlossen waren und sie offenbar gar nichts gehört hatte. Auf Zehenspitzen verließ sie den Raum, gleich darauf hantierte sie in der Küche.

Anne versuchte abzuschalten, aber es gelang ihr nicht. Sie erinnerte sich genau der Worte, die Peter damals gebraucht hatte, als er auf sie einredete. Sie hatte geschwiegen, keines Wortes fähig. Hätte sie nur bis zuletzt geschwiegen, aber die Vorwürfe, die auf sie niederprasselten, waren ungeheuerlich, Lüge war noch das wenigste. Unsicher versuchte sie, sich zu rechtfertigen. Sie beteuerte, daß sie ihn nicht belogen, daß sie ihm nur manches verschwiegen habe, was er ohne Kenntnis der Verhältnisse nicht hätte beurteilen können.

»Und jetzt kann ich es beurteilen, jetzt ist alles klar.«

Dieser Hohn war entsetzlich. Sie wußte nicht mehr, was er ihr noch alles vorgeworfen hatte, sie wußte nur, daß er sie schließlich sogar verdächtigte, als Spitzel tätig gewesen zu sein, denn wie sonst sei sie der Verhaftung entgangen. – Solchen Vermutungen war sie auch bei alten Genossen, die gesessen hatten, begegnet. Sie hatte es zu Anfang gar nicht begriffen, erst bei gewissen Bemerkungen war es ihr aufgegangen. – Empört wies sie den Verdacht zurück, aber Peter kümmerte sich gar nicht darum. Er machte sie für vieles verantwortlich, weil sie die

Wahrheit verschwiegen hatte, er sagte »verheimlicht«. Das war leichter, als den Dingen auf den Grund zu gehen.

»Glaubst du, wir hätten aus Angst geschwiegen?« fuhr sie ihn an. »Angst hätten wir hier nicht mehr zu haben brauchen, niemand hätte uns ernstlich etwas getan, etwas tun können. Aber überlege dir, in welches Land wir zurückkehrten, wie tief der Faschismus noch in manchen Menschen wurzelte. Man hätte angesichts der Feinde hier und draußen, ja, auch draußen, das weißt du sehr gut, nicht sprechen können, ohne der eigenen Sache zu schaden.«

Um Peters Mundwinkel zuckte ein trauriges Lächeln. »Welcher Sache?« fragte er. »Du willst also den Teufel mit Beelzebub austreiben?« Er wirkte viel älter, reifer, als er war. Dann kam unversehens ein hinterhältiger Schuß, die Frage nach seinem Vater. Mit nichts hätte er sie schwerer treffen können, obwohl er seinen Vater gar nicht gekannt hatte. Als Peter geboren wurde, war Rainer schon nicht mehr da. »Ist er wirklich an einer Krankheit gestorben, wie du mir weisgemacht hast?«

Da war es mit ihrer Beherrschung vorbei. »Ich habe dir nichts weisgemacht!« schrie sie.

Das war falsch. Jetzt hätte sie mit ihm sprechen müssen, vielleicht wäre noch alles gut geworden. Aber sie unterließ es.

Draußen wurde die Tür aufgeschlossen, Anne hörte Gregor mit Ingrid reden. Beide kamen herein, standen einen Augenblick schweigend an ihrem Bett, aber sie rührte sich nicht. Sie hörte die flüsternden Worte Ingrids: »Ich rufe abends noch einmal an.« Ihre leisen Schritte entfernten sich. Gregor mußte sich gesetzt haben. Anne hielt die Augen immer noch krampfhaft geschlossen. Ihre Gedanken kehrten zu dem Augenblick zurück, da sie unterbrochen wurden.

»Ich weiß, wie mein Vater umgekommen ist«, hatte Peter gesagt. Sie glaubte, ihr Herz bleibe stehen. »Genosse Reimer hat es mir erzählt.«

Wie oft hatte sie dieses Gespräch nachvollzogen ...

»Und woher weiß es Genosse Reimer?« hatte sie heiser gefragt. Und Peter hatte geantwortet: »Sie waren zusammen im Lager.«

Sie mußte unwillkürlich eine Bewegung gemacht haben, denn Gregor stand auf und trat zu ihr. Er setzte sich behutsam auf die Bettkante und streichelte ihre Hände. Kein Wort billigen Trostes, wie sie gefürchtet hatte. Auch nicht: »Das habe ich kommen sehen.« Nur dieses sanfte, zärtliche Streicheln. Etwas in ihr löste sich, sie begann zu weinen. Sie schluchzte nicht, lautlos rannen Tränen über ihre Wangen, ohne daß sie sie trocknete.

»Weine nur«, sagte Gregor, »es tut gut, zu weinen.« Er streichelte sie immer noch. »Soll ich gehen?« fragte er dann.

Sie schüttelte den Kopf, richtete sich ein wenig auf und legte ihren Kopf an seine Brust. »Peter ist ...«

»Ich weiß«, sagte Gregor. Sie war ihm dankbar, daß er nicht mehr sagte. Lange saßen sie so. Endlich löste er sich und fragte, ob er ihr etwas zu essen machen solle, ob sie Tee trinken wolle.

»Nein«, antwortete sie, »ich möchte schlafen. Nichts als schlafen.«

»Soll ich dich allein lassen?« Seine Frage klang besorgt.

»Bitte«, entgegnete sie. »Nicht böse sein.« Sie zog seine Hand an ihre Lippen, dann sank sie zurück. Er blieb noch kurz an ihrem Bett stehen und beobachtete sie. »Wenn du mich brauchst, rufe, ich bin nebenan«, flüsterte er. Er wußte nicht, ob sie ihn gehört hatte. Leise verließ er den Raum.

Ich bin wieder unterbrochen worden, dachte sie angestrengt. Wo bin ich unterbrochen worden? Ach ja, Peter sagte, Genosse Reimer sei mit seinem Vater im gleichen Lager gewesen. Davon hatte sie nichts gewußt. »Warum hat er mir nie etwas gesagt?« fragte sie. Peter antwortete, das wisse er auch nicht. »Ihr habt ja alle den Mund gehalten, merkwürdigerweise auch untereinander.« Dann nahm sein Gesicht jenen angestrengten Ausdruck an, mit den steilen Falten auf der Stirn, den sie so gut bei ihm kannte, wenn er über etwas Wichtiges nachdachte, und er fügte bitter hinzu: »Aber mit mir hättest du reden müssen, wenigstens mit mir. Oder hat es dir nicht so viel ausgemacht? Du hast dich ja schnell genug getröstet. Alles, was du mir von meinem Vater erzähltest, war wahrscheinlich nichts als eine Rechtfertigung vor dir selbst.«

Diese Gemeinheit hätte sie Peter nie zugetraut. Er wurde immer aggressiver, zynischer. »Ein Heiligenbild hast du aus dem Toten gemacht, zu dem du mich aufblicken lehrtest, derweil du lebendig und munter mit deinem Liebhaber lebtest.«

14

Da hatte sie sich nicht mehr in der Gewalt, beinahe hätte sie den Achtzehnjährigen, der sie um Kopfeslänge überragte, geohrfeigt. Gregor hielt sie zurück, während er gleichzeitig auf Peter einredete, ihm Vorwürfe machte. »Das hat Mutter nicht um dich verdient«, sagte er, »und auch ich glaube es nicht zu verdienen.« Dann fügte er noch hinzu: »Wenigstens habe ich mir immer Mühe gegeben, dir ein guter Vater zu sein.«

Das hatte Gregor wirklich, von dem Tage an, da sie ihm den Siebenjährigen brachte.

Sie fühlte plötzlich, wie ihr der Schweiß die Stirn herunterrann. Warum quäle ich mich so, dachte sie. Wozu bemühe ich mich, mir das, was sich damals ereignete, wieder und wieder ins Gedächtnis zurückzurufen? Es ist sinnlos, sinn-los, es kann sich ja nichts mehr ändern. Damals, als die Sache mit dem Tagebuch passierte, hatte ich auch gedacht, alles sei vorbei. Aber da lebte Peter noch, und solange jemand lebt, gibt es noch Hoffnung.

Dieses Unausweichliche, Endgültige, erzeugte ein dumpfes Angstgefühl in ihr. Ihr wurde schlecht, und sie rief nach Gregor. Es war wie ein Hilfeschrei, und Gregor kam sofort. Ihr krankhaft gerötetes Gesicht, die schweißnasse Stirn, der Ausdruck ihrer Augen erschreckten ihn.

»Reimer hat es gewußt«, flüsterte sie. »Er war mit ihm im Lager. Aber mir hat er nichts gesagt.«

»Was?« fragte Gregor.

Sie sagte etwas, das Gregor nicht verstand. »Ich werde den Notarzt rufen«, erklärte er bestimmt. »Es hat keinen Sinn, das hinauszuzögern.«

Sie wollte ablehnen, sie fürchtete, daß der Arzt ihr Fragen stellen werde, die sie nicht beantworten konnte, nicht beantworten wollte, aber sie hatte nicht die Kraft, Gregor zurückzuhalten. Flucht in Krankheit, dachte sie wieder. Als ob man vor sich selbst fliehen könnte.

Der Arzt sprach von einem akuten Erschöpfungszustand, gab ihr eine Beruhigungsspritze, schrieb Medikamente auf und ordnete an, daß sie liegen bleibe.

Anne lag still, beinahe apathisch. Die Spritze wirkte. Irgendwo, im Unterbewußtsein, war der Gedanke an ein Begräbnis, aber die Furcht ließ sie diesen Gedanken nicht zu Ende denken. Sie schlief ein, schlief lange. Wie lange, vermochte sie nicht festzustellen. Sie wollte es auch nicht. Gregor stand neben dem Bett. Sie sah ihn an, blickte durch ihn hindurch, es war ein ferner, sehr ferner Blick. »Rainer«, sagte sie. Und noch einmal: »Rainer.«

Er zuckte zusammen, aber er korrigierte sie nicht. »Was soll ich?« fragte er.

Sie hatte den Kopf ein wenig hochgehoben, jetzt sank sie wieder zurück. »Ich will schlafen«, sagte sie. »Schlafen ...«

»Willst du nicht etwas essen?« fragte er. »Es ist acht Uhr.« Er wußte nicht, ob sie ihn verstanden hatte, sie reagierte nicht. »Frau Bernhard wird sich um dich kümmern«, fuhr er fort. »Ich werde versuchen, mich früher frei zu machen. Wenn es dir nicht gut gehen sollte, ruft sie mich an. Dann komme ich sofort.« Kein Zeichen, ob sie gehört hatte, was er sagte.

Frau Bernhard war eine Nachbarin, eine alleinstehende Frau, die schon hie und da bei Lehmbrücks ausgeholfen hatte. Sie bereitete mittags etwas zu essen, und als Anne sich immer noch nicht rührte, versuchte sie, sie zu wecken. »Frau Lehmbrück! Frau Lehmbrück, ich habe Ihnen etwas zu essen gemacht. Nur eine Kleinigkeit, Sie müssen etwas essen.«

Anne öffnete sekundenkurz die Augen und schloß sie wieder. Die Frau redete weiter auf sie ein, doch ohne Erfolg.

Als Gregor heimkehrte, schimpfte sie: »Nicht nur, daß sie das gute Essen nicht angerührt hat, sie spricht auch nicht mit mir. Sie will nicht.«

»Sie ist krank, Frau Bernhard«, sagte Gregor besänftigend, obwohl ihn die Worte der Frau beunruhigten.

Auch in den nächsten Tagen war Anne nicht ansprechbar. Sie schien sich in einer Art Dämmerzustand zu befinden. Sie verließ das Bett nicht mehr und verweigerte die Nahrungsaufnahme.

Der Arzt, den Gregor erneut zu Rate zog, schüttelte den Kopf. »Ihre Frau ist ein Fall für den Nervenarzt«, sagte er. »Ich halte ihre stationäre Einweisung in eine Klinik für unabdingbar.« Und als er merkte, daß Gregor zögerte, fügte er noch hinzu: »Ich darf Ihnen leider auch nicht verschweigen, daß bei dem Zustand Ihrer Frau akute Suizidgefahr besteht.«

Anne ließ alles mit sich geschehen. Man trug sie in das Krankenauto und brachte sie in die Universitäts-Nervenklinik der Charité. Sie nahm auch die Bettnachbarin nicht wahr, die neben ihr im Zimmer

17

lag, in das man sie trug. Sofort nach der Aufnahme kam sie an den Tropf. So wurden ihr die notwendigen Medikamente und Nahrung zugeführt.

Gregor besuchte sie täglich. Er saß an ihrem Bett, streichelte ihre Hände und schwieg.

Einmal, als er etwas früher gehen mußte als sonst, machte Anne plötzlich eine Bewegung, als ob sie ihn zurückhalten wolle. Er blieb, versuchte sie vorsichtig anzusprechen, aber es war schon wieder vorbei.

Der Neuropsychiater, dem Gregor diesen kurzen Augenblick der Reaktion schilderte, schien erfreut. »Es ist gut, daß Sie mir das gesagt haben. Sie hat ihre Mitpatientin im Zimmer heute auch schon angesehen. Das sind erste, aber wichtige Zeichen. Man muß ganz vorsichtig weitergehen.«

Gregor nickte. Er hörte dem Arzt in hilfloser Erwartung zu, als erhoffte er, von ihm etwas Konkreteres zu hören. Da das nicht kam, fragte er zögernd: »Meine Frau ist nun bald vier Wochen in diesem Zustand. Sie sprachen von ›ersten Zeichen‹, Herr Doktor. Glauben Sie ..., das sie ..., daß sie wieder gesund wird?«

Der Arzt, ein noch junger Mann, kannte solche Fragen von den Angehörigen seiner Patienten. »Selbstverständlich wird sie wieder gesund, aber man darf nichts überstürzen. Es entwickelt sich alles verhältnismäßig normal bei Ihrer Frau. Sie beginnt zu reagieren.

»›Verhältnismäßig normal‹«, wiederholte Gregor die Worte des Arztes. »Daß sie der Tod des Sohnes sehr mitgenommen hat, ist zu verstehen, aber ihr

18

Verhalten jetzt erscheint mir absolut nicht mehr normal. Und deshalb ist sie ja auch hier.«

Der Arzt lächelte. »›Normal‹, ›unnormal‹, solche Feststellungen verlieren unter Ausnahmebedingungen ihre Gültigkeit. Ihre Frau, oder besser gesagt, der Körper Ihrer Frau, hat sich einen Schutzmechanismus aufgebaut, eine Abwehr gegen die unerträglichen Schmerzen. Langsam, ganz langsam wird sie wieder zu sich finden, aber ein ungeschicktes, ein falsches Wort, kann sie um Tage, ja um Wochen zurückwerfen.«

Gregor hatte dem Arzt aufmerksam zugehört. Einen Rückfall dürfe es unter gar keinen Umständen geben, betonte er.

Ingrid, die hören wollte, wie es Anne gehe – Besuche von Fremden waren streng verboten –, erschrak über Gregors Aussehen. »Du übernimmst dich«, warf sie ihm vor. »Aber du mußt unbedingt gesund sein, wenn Anne herauskommt.«

»Ich werde gesund sein«, versicherte Gregor. »Wenn es nur bald wäre.«

Er erzählte nicht, daß er es sich zur Aufgabe gemacht hatte, die Überführung von Peters Leiche aus der Bundesrepublik in die DDR zu bewerkstelligen. Das war nicht einfach. Es erforderte viel Zeit und strapazierte die Nerven. Er hätte nicht sagen können, über wieviel Instanzenwege er hatte gehen müssen, aber endlich war es soweit. Peter wurde auf dem Weißenseer Friedhof beigesetzt.

Gregor stand vor dem einfachen Stein, auf dem nur der Name – Peter Lehmbrück –, das Geburtsjahr und der Todestag angegeben waren. Er dachte

an den Jungen, den er wie einen eigenen Sohn ge-
liebt hatte, er dachte an Anne und an den Tag, an
dem sie das Endgültige würde zur Kenntnis nehmen
müssen. Er wünschte beinahe, daß es sich hinauszö-
gere. Er überlegte, wie er es ihr beibringe und ob sie
einmal fähig sein werde, das Grab zu besuchen.

Langsam, sehr langsam, begann Anne wieder am
Leben teilzunehmen. Sie hatte stark abgenommen,
sah durchsichtig, zerbrechlich aus. Wenn der Arzt
sie begrüßte, wenn er fragte, wie es ihr gehe und ob
sie gegessen habe, antwortete sie leise, doch ver-
ständlich: »Danke, Doktor. Es geht mir gut. Ich
habe gegessen.« Viel mehr brachte er aus ihr nicht
heraus. Doch er war zufrieden. »Wenn Sie mit mir
sprechen wollen«, bat er sie, »sagen Sie es mir. Aber
ich habe auch Zeit zu warten.«

»Ja, Herr Doktor«, antwortete sie wie ein braves
Schulmädel.

»Das Geschehene scheint ihr nicht bewußt zu
sein«, berichtete der junge Arzt dem Chefarzt.
»Aber es scheint ständig als bedrohliches Wissen im
Hinterhalt zu liegen.«

Der Chef nickte. »Seien Sie vorsichtig«, mahnte
er. »Man kann nicht vorsichtig genug sein.«

Seine Worte beleidigten den jungen Arzt, doch er
schwieg.

Behutsam bemühte er sich, mit der Patientin in
Kontakt zu bleiben. »Wir werden langsam, aber gemeinsam versuchen, weiterzukommen«, versicherte
er ihr.

»Ja, Herr Doktor«, sagte sie.

Er hatte den Eindruck, als klinge in diesem kurzen »Ja, Herr Doktor« ein tieferes Verstehen mit.

Allmählich begann Anne sich auch mit der Patientin im Zimmer zu unterhalten. Das heißt, die junge Frau, die eine Ehetragödie hinter sich hatte, erzählte, und Anne hörte zu. Zu diesem oder jenem äußerte sie sich auch, aber über eigene Erlebnisse sprach sie nicht.

Eine weitere Etappe wurden die Spaziergänge mit Gregor im Klinikgarten und schließlich, erste größere Belastung, durfte sie das Wochenende zu Hause verbringen. Alle waren unterrichtet worden, nicht über Peters Tod zu sprechen.

Und dann die Entlassung – »Leben Sie wohl, Frau Lehmbrück. Nein, sagen Sie nicht ›Auf Wiedersehen‹. Ich möchte Sie hier nicht wiedersehen.« – »Leben Sie wohl, Herr Doktor.«

Rekonvaleszenz. Noch war sie krank geschrieben. Gregor hatte Urlaub genommen. Ingrid, Kollegen, Besuche. Die Krankheitsursache wurde nicht berührt.

Da überraschte Anne ihren Mann ganz plötzlich mit der Frage: »Wo hat man ihn beerdigt, Gregor?«

Fast vier Monate nach Überführung der Leiche ihres Sohnes nach Ostberlin erfuhr Anne endlich davon.

An der Seite ihres Mannes besuchte sie das Grab. Er hatte versucht, es ihr auszureden, er befürchtete einen Rückfall.

»Du brauchst keine Angst zu haben«, beruhigte sie ihn. »Ich halte es aus.«

Das Grab sagte ihr nichts. Was besagte dieser Stein mit dem Namen und den Daten ihres Sohnes.

Fotos sagten ihr mehr. Wie oft hatte sie Peter früher fotografiert. Er hatte sich mit den Jahren sehr verändert, war älter und reifer geworden, aber manches von der Zeit damals, als sie noch eine Familie bildeten, war geblieben: der nachdenkliche, abschätzende Blick, die zwei kleinen, kaum wahrnehmbaren Falten zwischen den Augen, wenn er sich konzentrierte. Auch der Zug um den Mund, der eine stets wache Ironie verriet. Vielleicht kein schönes, aber ein kluges Gesicht. In der Schule gehörte er zu den Besten, aber er war kein Streber, das lag ihm nicht. Eine Lehrerin lehnte ihn ab, sie fürchtete ihn. Ihre Unsicherheit äußerte sich in Strenge ihm gegenüber. Sie war ungerecht. Er rächte sich, erfand Marx-Zitate, die sie nicht kontrollieren konnte, und machte sie dann, indem er seine Urheberschaft eingestand, vor der Klasse lächerlich.

Andere Lehrer hingegen schätzten ihn. Der Schuldirektor begünstigte ihn sogar wie und wo er konnte. Zwei Artikel von Peter wurden in einer Zeitschrift veröffentlicht, noch ehe er sein Abitur machte. Der Direktor fragte sie damals, ob sie stolz sei auf ihren Sohn. Natürlich war sie stolz, wie jede Mutter, aber sie hielt es für viel wichtiger, daß er ein guter Kamerad war.

Und dann das.

Ständig kehrten ihre Gedanken zum Ausgangspunkt zurück: zu dem Augenblick, da er gegangen war.

Nach einer zermürbenden Nacht war sie damals

doch gegen Morgen eingeschlafen. Peter war nicht zurückgekommen.

Gregor, bereits angezogen, mußte zur Arbeit. Dieser große, etwas linkische Mann bemühte sich in rührender Weise um sie. »Bestimmt hat er bei einem Schulkameraden übernachtet, du machst dir unnütze Sorgen. Wahrscheinlich sieht er jetzt schon ein, daß er einen Fehler begangen hat, aber er will sich keine Blöße geben. Du weißt doch, wie junge Leute sind. Morgen, übermorgen ist er wieder hier, wirst sehen.« Er umarmte sie und bat sie, tapfer zu sein.

Tapfer, wie sie diese nichtssagenden, abgenutzten Klischees haßte.

Aber am nächsten und auch am übernächsten Tag war Peter immer noch nicht zurückgekommen.

Sie telefonierte überall herum, wo sie vermutete, daß er sich aufhalten könne, ohne Erfolg. Auch die FDJ-Leitung wußte nichts.

Sie arbeitete, als sei nichts geschehen, man merkte ihr nicht viel an. Nur Ingrid fragte, ob ihr etwas fehle. Sie tat erstaunt. »Wie kommst du darauf?«

»Du bist so merkwürdig.«

»Merkwürdig? Ich wüßte nicht, warum.« Sie wollte nicht, daß man etwas erfahre, obwohl es ihr gutgetan hätte, sich mit Ingrid auszusprechen.

Anne kannte die Reimers schon aus der Zeit vor dreiunddreißig. Es waren gute Genossen, aber sie nahm es ihm übel, daß er mit Peter über Rainer gesprochen hatte und nicht mit ihr. Trotzdem ging sie hin, vielleicht wußte er, wo Peter sich aufhielt.

Die Genossin Reimer öffnete ihr und war sehr erfreut, sie wiederzusehen. Es tat Anne leid, ihr sagen zu müssen, daß sie nicht zu Besuch gekommen sei, sondern ihren Mann sprechen wolle.

Sie nahm es nicht übel. »Komm rein, Heinz muß jeden Augenblick zurück sein, er wollte sich nur Zigaretten holen. Trink 'ne Tasse Kaffee mit mir. Es ist traurig, man wohnt so nah beieinander und sieht sich so selten.«

Anne trank eine Tasse Kaffee und hörte sich die Krankengeschichte der Frau an. Sie war ein armer Mensch, schwer leidend, aber die Leute mochten sie nicht, weil sie über nichts anderes mehr sprechen konnte als über ihre Krankheit. Anne war froh, als Reimer endlich kam. Doch er wußte auch nichts von Peter. Sie verabschiedete sich darum bald. Reimers wohnten in einem Einfamilienhaus. Er begleitete sie zum Ausgang. Vor dem Gartentor blieben sie stehen.

»Warum hast du mir nie gesagt, daß du mit Rainer im selben Lager gewesen bist?« fragte sie ihn plötzlich.

Es kam unerwartet für ihn. Er wurde verlegen. »Ich wollte dich nicht belasten«, antwortete er. »Was hätte es dir genützt? Du bist wieder verheiratet ...«

»Trotzdem«, beharrte sie. Und nach einer Pause fragte sie: »Hat er sehr leiden müssen?«

Reimer senkte den Kopf.

Sie hatte vorgehabt, ihn zu bitten, ihr alles über Rainers Ende zu erzählen, aber sie brachte es nicht fertig. Ihre Kehle war zugeschnürt, die Zunge klebte am Gaumen.

Er drückte ihre Hände beim Abschied und sagte gepreßt: »Er hat dich sehr lieb gehabt. Er hat oft über dich gesprochen.«

Sie schluckte und konnte das Schluchzen doch nicht ganz unterdrücken.

Er versprach ihr, wenn er etwas von Peter höre, sie sofort zu verständigen.

Annemarie, die in derselben Straße wohnte, brachte ihr damals seinen Brief. Sie sah die vertrauten Schriftzüge und riß den Umschlag auf. Peter entschuldigte sich, sehr knapp, und bat, Verständnis zu haben. Er wohne bei einer Freundin, sie möge sich keine Sorgen um ihn machen. Er würde sich wieder melden.

»Was für eine Freundin?« dachte sie und wußte gar nicht, daß sie es laut gesagt hatte. Annemarie blickte sie erstaunt an und fragte: »Kennst du sie nicht?«

Anne wurde rot und stammelte, sie wisse nicht, welche Freundin gemeint sei.

»Hat er so viele?« fragte Annemarie und lachte. »Der fängt ja früh an. Im Augenblick jedenfalls ist er bei der Monika Kasten.«

»Ach so«, sagte Anne und tat, als wüßte sie, wer Monika Kasten sei. Dabei hatte sie keine Ahnung. Und sie hatte immer angenommen, der Junge sage ihr alles. Also stimmte schon vorher in den Beziehungen zwischen ihnen manches nicht. »Würdest du ihm einige Zeilen von mir überbringen«, bat sie Annemarie. »Mit der Post dauert es immer länger.«

Annemarie war sofort bereit.

Anne schrieb ihm nur, daß sie und Vater sich über

seine Rückkehr freuen würden und auf ihn warteten. Er solle wissen, daß sie ihm nichts nachtrügen.

Sie würden sich aussprechen, und alles würde wieder gut sein. Gregor freute sich mit ihr.

In langen, schlaflosen Nächten aber war sie nicht mehr so überzeugt, daß es wieder so werden könne wie früher.

Jahre hatte sie die Gedanken an Rainer verdrängt. Sie hätte nicht leben können, ohne das zu tun. Nun quälten sie sie erneut und schlimmer als zuvor. Einmal im Schlaf oder im Halbschlaf mußte sie Rainers Namen laut gerufen haben. Gregor sagte, es habe wie ein Angstschrei geklungen. Er weckte und beruhigte sie. Er hatte seine Frau, an der er auch sehr gehangen haben mußte, im KZ verloren.

Tag für Tag wartete Anne auf die angekündigte Nachricht des Sohnes. Wenn der Briefkasten klapperte, stürzte sie hinaus und kehrte enttäuscht zurück. Dennoch war es beruhigend für sie zu wissen, wo Peter sich aufhielt.

Sie führte mit Gregor lange Gespräche über die Sowjetunion. Er machte ihr keine Vorwürfe wie Peter, aber sie fühlte, daß auch er nicht verstand, weshalb sie so lange geschwiegen hatte, sogar ihm gegenüber. Auch er wertete dieses Schweigen als Zeichen mangelnden Vertrauens, es gelang ihr nicht, ihm das auszureden. Für ihn war in den Jahren, die er im KZ zugebracht hatte, die Sowjetunion der einzige Halt, der ihm die Kraft zum Überleben gab.

Die Gespräche mit Gregor wühlten vieles in ihr auf, was sie in die Tiefe des Unterbewußtseins zu schieben versucht hatte. Sie überlegte, ob sie die

zweite Parteisitzung mit dem Thema »XX. Parteitag« besuchen oder sich unter irgendeinem Vorwand entschuldigen sollte. Eigentlich brauchte sie
gar keinen Vorwand, es ging ihr wirklich nicht gut.
Es sollte über »Die Überwindung des Personen-
kults und seine Folgen« gesprochen werden. Einerseits hätte sie diese Diskussion brennend interessiert, andererseits fürchtete sie sich. Sie war feige.
Bei der ersten Versammlung hatte sie sich zu Wort
gemeldet. Sie hatte es nicht vorgehabt, wahrhaftig
nicht. Aber dann konnte sie es einfach nicht anhö-
ren, wie Genossen, die nach 1945 zur Partei gesto-
ßen waren und keine Ahnung von den Vorgängen in
der Sowjetunion hatten, plötzlich loslegten. Gerade
solche, die bis vor kurzem nicht genug tun konnten
in euphorischen Phrasen, in Superlativen über das
erste sozialistische Land! Jetzt verneinten sie alles,
warfen Erfolge und Mißerfolge in einen Topf,
münzten sogar Erfolge in Mißerfolge um.

Dabei hatte es doch Erfolge auch in den schwersten Zeiten gegeben! Das wußte sie schließlich nicht
nur aus Berichten, sondern aus eigenem Erleben.
Die grundlegende Aufgabe der sozialistischen Revolution, die Schaffung einer nach neuen Prinzipien
funktionierenden Wirtschaft, war – entgegen manchen Widerständen und oppositionellen Angriffen
– gelöst, die technische Rekonstruktion der Volks-
wirtschaft im wesentlichen abgeschlossen worden.
Der Lebensstandard hatte sich gehoben, das Leben
war wirklich »besser, fröhlicher« geworden, wie es
auf den Losungen überall zu lesen stand. Die um
fast ein Jahr vorfristige Erfüllung des zwei-

ten Fünfjahrplans am 1. April 1937 bewies auch: Die Sowjetunion hatte sich in eine sozialistische Großmacht verwandelt, in einen geeinten Nationenbund, der sowohl geistig wie wirtschaftlich dem in Italien, Deutschland und Japan um sich greifenden Faschismus zu widerstehen imstande war. Es war doch auch keinesfalls so, daß der Sozialismus vollkommen aufhörte, daß es in jener Etappe nur Negatives gab. Das Leben ging weiter, ging sogar vorwärts, trotz allem. Das mußte sie sagen, sie mußte es einfach.

War das Verrat an Rainer gewesen? Sie glaubte, nein. Er würde an ihrer Stelle ebenso gehandelt haben.

Einige Genossen beschimpften sie danach als Dogmatikerin, als Stalinistin. Wäre es nicht so bitter gewesen, sie hätte lachen müssen.

Wie war das alles eigentlich ins Rollen gekommen?

Bei ihrem ständigen Zurückschauen, das zu einem Teil ihres Lebens geworden war, kam sie immer wieder zu den gleichen Punkten. Am 14. Februar 1956 hatte man den XX. Parteitag der KPdSU eröffnet. Aber sie hatte aus den Berichten nichts Außergewöhnliches herausgehört. Es deutete auch nichts darauf hin, wie dieser Parteitag verlaufen würde. Sie erinnerte sich noch gut, von einem »neuen Meilenstein auf dem Wege des Sieges« gelesen zu haben. Am 15. Februar hatte Chrustschow den Rechenschaftsbericht gegeben. Aber auch da war den Meldungen im Rundfunk, den Ausschnitten in den Zeitungen noch nichts zu entnehmen. Im »Neuen

Deutschland« stand etwas von Maßnahmen zur Hebung des Lebensstandards in der Sowjetunion, von friedlicher Koexistenz, der Schaffung eines kollektiven Sicherheitsvertrags und daß die Kräfte des Friedens stark genug seien, einen Krieg zu verhindern. Chrustschow sprach überdies davon, daß die Feinde des Sozialismus im Zusammenhang mit Stalins Tod damit gerechnet hätten, daß es zu Streitigkeiten in der Führung der Partei kommen werde, zu Schwankungen in der Innen- und Außenpolitik, aber diese Rechnung sei nicht aufgegangen.

Erst in der Mitgliederversammlung hörte sie von der Kritik an Stalin, dem Personenkult und seine Folgen. Ihr brauchte man über diese Zeit nichts zu erzählen, aber für manche war das vernichtend. Auch für Peter, der darüber in der Universität erfuhr. Sie hatte ihn im Geiste Stalins erzogen, weil Stalin für sie wie für die meisten Menschen in der Sowjetunion zu einem Symbol des Sozialismus geworden war. Wer dachte schon, wenn man den Namen aussprach, an den Mann Stalin? Sein Name stand für alles. Darum hatte Peter ja auch gefragt, wie man jetzt weiterleben solle.

Sie hatte sich damals gefragt, ob diese Diskussion in aller Öffentlichkeit nötig war. Im Beschluß des Zentralkomitees der KPdSU stand unter anderem: »Die Erfahrungen der Geschichte lehren, daß die Feinde der internationalen proletarischen Einheit in der Vergangenheit mehrmals versuchten, ihrer Meinung nach günstige Momente zur Untergrabung der internationalen Einheit der kommunistischen und Arbeiterparteien, zur Spaltung der internationalen Arbeiterbewegung und zur Schwächung der Kräfte des sozialistischen Lagers auszunutzen.« Das waren Argumente, die sie immer anführte. Wozu aber dann die Diskussion in der Öffentlichkeit? Hatte man damit nicht Voraussetzungen für Aktionen der Feinde geschaffen? Die Genossen widersprachen. Sie begriff das nicht. Sie grübelte und grübelte.

Plötzlich gab es aus der Sowjetunion Zurückgekehrte, die zu reden begannen. Was für Schicksale.

Sie hatte geglaubt, viel zu wissen, aber sie sah, wie wenig sie wußte. Es war so, daß jeder nur einen kleinen Ausschnitt des damaligen Geschehens kannte. Jeder einen anderen. Ihnen allen, die überlebten, hätte es nach der Rückkehr freigestanden, in kapitalistische Länder zu gehen. Nur ganz wenige machten davon Gebrauch. Die anderen blieben der Sache treu, die Sozialismus heißt. Wie stark mußte diese Sache sein.

Manchmal war ihr Rainer jetzt wieder so gegenwärtig, daß es ihr unglaubhaft schien, wie viele Jahre sie schon von ihm trennten. Sie sah noch sein Gesicht, als man ihn holte. Er erschrak nicht, er blieb ruhig und zuversichtlich. »Es muß ein Irrtum sein, ein Mißverständnis, Kleine«, sagte er. »Weine nicht, ich komme zurück.«

Er war nicht zurückgekommen.

Kennengelernt hatte sie ihn bei der Maidemonstration 1929 in Berlin. Sie war als Berichterstatterin dabeigewesen, hatte sich überall unter die Menschen gemischt, Gespräche mit ihnen geführt, sich lassen, die in jener Zeit an der Tagesordnung waren, und geriet so auch in einen Zug demonstrierender Metallarbeiter. Sie sah den erstaunten, abschätzenden Blick des Mannes, neben dem sie marschierte, und ärgerte sich über seine nicht gerade freundliche Frage: »Was suchen Sie hier?« Sein Mißtrauen war unüberhörbar. Sie war gut, aber einfach angezogen, trotzdem hatte sie plötzlich das Gefühl, wie ein Fremdkörper unter diesen Arbeitern zu wirken.

»Ich bin Reporterin«, erklärte sie und fügte hinzu: »Ich arbeite für die ›Rote Fahne‹.«

Ihre Worte hatten nicht die erwartete Wirkung.

»Für die ›Rote Fahne‹?« fragte der Mann und grinste. »Für wen schreiben Sie denn da?«

Sie wurde rot und ärgerte sich darüber. »Für Leute wie Sie wahrscheinlich nicht«, antwortete sie.

»Und warum nicht?«

Jetzt erst sah sie ihn richtig an. Er war noch jung, höchstens dreißig Jahre, groß, kräftig, aber nicht dick, eher muskulös, wie ein Sportler. Sein Gesicht war nicht schön, aber markant. Graue Augen, die einen ins Visier nahmen und nicht losließen. In diese Augen, behauptete sie später, habe sie sich verliebt. Dichte, blonde Haare, hohe Stirn, kühne Nase und unter schmalen Lippen ein beinahe eckiges Kinn.

»Weil Sie Vorurteile gegen intellektuelle Frauen haben und besonders gegen solche, die Ihrer Meinung nach bürgerlich sind«, sagte sie.

Jetzt lachte er. »Sie sind schnell fertig mit Ihrem Urteil. Aber wahrscheinlich haben Sie nicht ganz

et
zug
verlor
Millio-
sie ver-
ten nur we-
eld reichte es
es ihr, ihn zu
nicht erlaubte,
, ein bürgerliches

te Zeit ihres Lebens,

verrückt machte, ver-
terkorrespondent. Schon
mal etwas zu schreiben.
se war abgegriffen, phrasen-
machte ihn vorsichtig darauf
empfindlich. Er behauptete, es
was man schreibe, und nicht, wie
Dennoch begann er auf Klischees zu
einfach aus der Presse übernommen
ihm auch, das Wesentliche bei Repor-

unrecht. Vorurteile gibt es auf beiden Se[it]en
und bei euch.«

»Was heißt das, ›bei euch‹?«

Sie waren auf dem Bülowplatz ang[...]
dem sich die Züge, die von allen Se[...]
vereinigten. Die Sprechchöre vo[...]
»Berlin bleibt rot! Nieder mit Z[...]
Verbot« wurden übertönt v[...]
die, jetzt überall aufgenom[...]
gen Choral zusammenflo[...]
eine gute Stimme, und [...]
gen. Sie fühlte, daß de[...]
tete, aber sie kümm[...]
wollte er kontrol[...]
Auch er sang: »[...]
letzten Gefech[...]

Wie auf [...]
dumpfe, a[...]
wehrs d[...]
fort be[...]

»Sie [...]
verzweifel[...]

»Sie schieße[...]
ßen auf Frauen und[...]

»Auf Befehl des So[...]
sagte der Mann bitter. »Hab[...]
wartet?«

Überfallwagen begannen die Zuga[...]
abzuriegeln. Arbeiter, die unmittelbar a[...]
wurden, setzten sich zur Wehr. Anne vermoc[...]
Vielzahl der Ereignisse später nicht mehr auseina[...]
derzuhalten, es floß alles ineinander: die gellenden

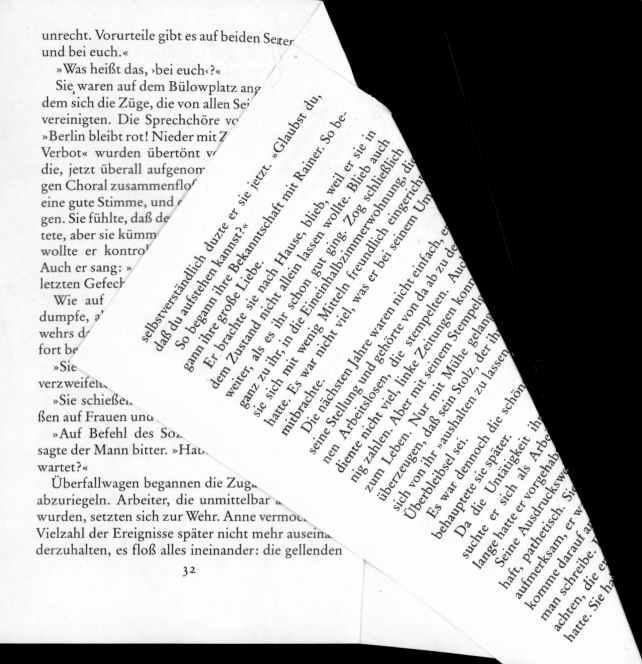

selbstverständlich duzte er sie jetzt. »Glaubst du,
daß du aufstehen kannst?«

So begann ihre Bekanntschaft mit Rainer. So begann ihre große Liebe.

Er brachte sie nach Hause, blieb, weil er sie in
dem Zustand nicht allein lassen wollte. Blieb auch
weiter, als es ihr schon gut ging. Zog schließlich
ganz zu ihr, in die Eineinhalbzimmerwohnung, di[e]
sie sich mit wenig Mitteln freundlich eingericht[et]
hatte. Es war nicht viel, was er bei seinem Um[...]
mitbrachte.

Die nächsten Jahre waren nicht einfach, e[...]
seine Stellung und gehörte von da ab zu de[...] Auc[...]
nen Arbeitslosen, die stempelten. [...] Stempel[...]
diente nicht viel, linke Zeitungen konn[...]
nig zahlen. Aber mit seiner Mühe gelang[...]
zum Leben. Nur mit seinem Stolz, der ih[...]
überzeugen, daß sein [...]
sich von ihr »aushalten zu lassen[...]
Überbleibsel sei.

Es war dennoch die schön[...]
behauptete sie später.

Da die Untätigkeit ih[...]
suchte er sich als Arbe[...]
lange hatte er vorgehab[...]
Seine Ausdrucksw[...]
haft, pathetisch, er w[...]
aufmerksam, er a[...]
komme darauf a[...]
man schreibe, die e[...]
achten, die er[...]
hatte. Sie ha[...]

tagen zu finden, den sogenannten Aufhänger. Ein Bericht über einen Streik, sehr lebendig durch viele gut beobachtete Details, wurde nicht nur in der »Roten Fahne« gedruckt, sondern anderen Arbeiterkorrespondenten als Beispiel vorgehalten. Bald waren es nicht mehr nur Arbeiterkorrespondenzen, an die er sich wagte, sondern auch Kurzgeschichten und Feuilletons. Diese oft gemeinsame Arbeit verband Anne noch mehr mit ihm. Ein Bericht über den Reichstagsbrand und seine Hintergründe wurde für lange Zeit seine letzte Arbeit.

In einem Sturmlokal der SA richtete man ihn fürchterlich zu. Er überstand. Kam in das Konzentrationslager Oranienburg, eines der ersten Lager der Nazis, in dem man Erich Mühsam zu Tode gefoltert hatte. Über ein Jahr verbrachte er da. Bei der Überführung in ein anderes KZ gelang ihm eine abenteuerliche Flucht.

Nachts unterwegs, versteckte er sich tagsüber in Scheunen und Geräteschuppen. Sein Leben hing oft an einem Haar. Manchmal war er nahe daran, aufzugeben. Er gab nicht auf.

Eine Bäuerin entdeckte ihn, als er, halb verhungert, Rüben aus dem Schweinekoben aß. Sie setzte zum Schreien an, er hielt ihr den Mund zu, sagte, woher er komme, bat sie, ihm zu helfen. Ihr Mitleid überwog ihre Angst. Sie gab ihm Brot, ließ ihn in einem Verschlag schlafen, zeigte ihn nicht an.

Ein Genosse brachte ihn endlich über die Grenze in die ČSR.

In einem Hilfskomitee für deutsche Flüchtlinge trafen sie sich wieder.

Anne sah ihn in der Schlange stehen und erkannte ihn zuerst nicht. Seine Haare waren grau geworden.

Ihr war es gelungen, als normale Reisende, die eine Verwandte im Sudetengebiet besuchen wollte, durchzukommen. All ihre Bemühungen, von ihm etwas zu erfahren, waren vergeblich gewesen.

Nun wohnten sie zusammen im Heim des Šalda-Komitees, Anne und Rainer Lehmbrück, obwohl sie da noch nicht verheiratet waren. Als sie Gregor heiratete, behielt sie den Namen Lehmbrück bei.

Die Unterstützung, die das Komitee den Flüchtlingen zahlen konnte, war gering. Tag für Tag trafen neue ein, nicht nur Kommunisten, auch Sozialdemokraten, Christen, Juden und Menschen, die nur mit dem Faschismus nichts zu tun haben wollten. Der Strom riß nicht ab.

Doch sie waren beieinander, sie schliefen ohne Angst, sie konnten schlafen.

Anne brachte bald kleine Berichte in deutschen Zeitungen unter, es gab deren mehrere. Rainer arbeitete für die tschechische Parteizeitung »Rude Pravo«. Die Verbindung zu den tschechischen Genossen war gut. So verdienten sie beide etwas hinzu und konnten ein möbliertes Zimmer mieten. Es war besser als die Unterkunft im Flüchtlingsheim.

1935 bekam Rainer durch die deutsche Partei ein Angebot, im Moskauer Kugellagerwerk zu arbeiten.

Die erste Freude war groß. Dann fragte er unschlüssig: »Soll ich annehmen? Ich will nicht wieder von dir getrennt werden.«

»Warum sollten wir getrennt werden?« fragte sie. »Du nimmst natürlich an, wir fahren zusammen.«

»April 1935. Wir fuhren dem Frühling entgegen«, hatte sie in das Tagebuch geschrieben.

»In Warschau mußten wir übernachten. Viel Geld hatten wir nicht, das kleine Hotel in der Nähe des Bahnhofs schien billig zu sein.

›Die ganze Nacht?‹ fragte der Mann in der Rezeption.

›Natürlich‹, antwortete ich erstaunt. Der Mann nannte einen ziemlich hohen Preis, und ich verwaltete das Geld.

›Nehmen wir es?‹ fragte ich. Ich war müde und wäre nicht gern noch auf Zimmersuche gegangen.

Rainer nickte. Der Mann in der Rezeption zwinkerte ihm komisch zu.

›Unverschämt‹, schimpfte ich, als ich das Zimmer sah. Es war schäbig, und das breite Doppelbett wirkte aufdringlich. ›Dafür so viel Geld.‹

Rainer lachte. ›Weißt du, wo wir hingeraten sind? In ein Stundenhotel. Gut, daß wir nicht auf Stunden angewiesen sind.‹«

Wie lange hatte sie das Tagebuch nicht mehr in den Händen gehabt, jetzt las sie es wieder. Das Schöne – und es hatte viel Schönes gegeben – wie das Schreckliche. Erlebte es erneut. Die Geburt Peters, sechs Monate nachdem sie Rainer geholt hatten. Sie glaubte die Geburt nicht durchzustehen, aber es war ein Glück, daß das Kind kam. Sie mußte für den Jungen dasein, er brauchte sie.

Jetzt brauchte er sie anscheinend nicht mehr. Von Zeit zu Zeit meldete er sich telefonisch. »Du mußt dir keine Sorgen machen. Nein, du sollst mir nichts schicken, ich komme zurecht. Ich melde mich wieder.«

Als er endlich kam, war es nur, um seine Sachen zu holen. »Ich ziehe rüber, Mutter. Ich komme hier nicht zur Ruhe. Du wirst das nicht verstehen, du kannst es vielleicht gar nicht verstehn, aber ich muß erst mit mir ins reine kommen.«

Sie versuchte ihn umzustimmen, es war zwecklos. »Und deine Freundin?« fragte sie.

»Wir gehen auseinander«, antwortete er. »Nicht im bösen, aber es hat keinen Sinn. Sie versteht mich ebensowenig wie du.«

Anne half ihm, seine Sachen zu packen. »Kommst du zurück?« fragte sie.

»Sicher. Aber wann, kann ich nicht sagen. Ich schreibe dir.«

»Kommst du nicht wenigstens zu Besuch?«

»Wir werden sehen.«

Er kam nicht. Er schrieb dann und wann, er wohne bei einem Studenten, den er kenne. Es bestünde vielleicht eine Möglichkeit für ihn, sich immatrikulieren zu lassen, aber das sei noch nicht sicher. Dann wurden die Briefe immer spärlicher und hörten schließlich ganz auf.

Gregor litt mit ihr. »Du mußt es dir nicht so zu Herzen nehmen. Du siehst schon ganz elend aus. Eines Tages kommt er zurück. Er ist nicht nur intelligent genug, um bald zu erkennen, was drüben los ist, er ist schließlich bei uns erzogen worden.«

Anne schwieg. Wie hätte sie Gregor begreiflich machen können, daß es ihn ja gerade deshalb so getroffen hatte.

Gregor war ein guter Kamerad, ein guter Genosse, aber er war kein Rainer. Als sie ihn kennenlernte, im Rundfunk, wo er als Tontechniker arbeitete, hatte er ihr gefallen, und es war ein Erfolgserlebnis für sie gewesen, daß dieser große, gutaussehende, aber etwas schwerfällige Mann sich auffällig um sie bemühte. Er lud sie zum Essen ein, sie gingen zusammen aus, und schließlich lebten sie zusammen. Nach den Jahren des Alleinseins hatte sie in ihm einen Partner gefunden, mit dem sie sich gut verstand, auch wenn es nicht die große Liebe war wie bei Rainer. Vielleicht gibt es das auch nur einmal im Leben, dachte sie. Gregor behauptete, sie sehe seiner Frau ähnlich. Er hatte seine Frau im KZ Ravensbrück verloren. Als er Anne fragte, ob sie nicht heiraten sollten, zögerte sie. War es kein Verrat an Rainer? Dann schämte sie sich vor sich selbst. Sie schob diese dummen, kleinbürgerlichen Gedanken fort. Als ob der Stempel etwas bedeutete. Wichtig war, daß er zu Peter schnell Kontakt bekommen hatte, daß der Junge ihn mochte. So heirateten sie.

Der eigene Vater könnte nicht mehr um das Kind besorgt sein, dachte sie oft.

Jetzt fragte sie sich manchmal, ob Rainer wie Gregor reagiert hätte.

Dann ereignete sich die Sache mit dem Tagebuch. Der Schock, als Peter ihr mitgeteilt hatte, daß er hinüber ziehen wolle, war schwer genug gewesen. Die Sache mit dem Tagebuch war schwerer.

Als Genosse Röttger von der Bezirksleitung sie aufgesucht und gefragt hatte, was sie zu den Veröffentlichungen in der Westberliner Zeitung »Signal«

sage, hatte sie ihn erstaunt angesehen. »Was für Veröffentlichungen?«

Genosse Röttger hatte ihr die fünf Nummern auf den Tisch gelegt.

Ein Bild von ihr, aus früheren Jahren, groß aufgemacht. Sie erinnerte sich nicht mehr, wann und aus welchem Anlaß es aufgenommen worden war. Daneben die Ankündigung einer Artikelserie: »Auszüge aus dem Tagebuch der Anne Lehmbrück, Journalistin, Parteimitglied der SED in Ostberlin, über die Jahre ihrer Emigration in der Sowjetunion.« Darunter: »Anne Lehmbrück, damals 38, ist bestrebt, ihre Eindrücke objektiv wiederzugeben, aber gerade weil sie es ehrlich meint, enthüllt sie die Unmenschlichkeit und Zwänge eines Lebens unter der Diktatur Stalins.«

Schon diese Einleitung fand sie unerhört. Was sie weiter beim flüchtigen Überfliegen feststellte, war nicht einmal wesentlich verändert, nur die Proportionen hatte man völlig verschoben, die Auszüge entsprechend gewählt, Positives war weggelassen worden oder durch Einfügungen wie »angeblich«, »wie die Autorin behauptet«, »dem Vernehmen nach« und ähnliches entwertet.

»Ich verstehe nicht, wie es in die Hände dieser Leute gekommen ist . . .«, sagte sie fassungslos. »Außerdem, so habe ich es gar nicht geschrieben. Es ist ganz anders . . .«

»Wo hattest du es aufbewahrt?« fragte Röttger, ohne auf anderes einzugehen.

»Im Schreibtisch«, sagte sie. Im gleichen Augenblick fiel ihr ein, daß sie das Tagebuch vor Monaten, als sie wieder darin zu lesen begann, auf das Tischchen neben dem Schreibtisch gelegt hatte. Dessenungeachtet begann sie im Schreibtisch zu suchen. Den Verdacht, der in ihr aufgekommen war, wollte sie nicht zu Ende denken. Sie kramte alles, was sich in den Schubfächern befand, heraus; Zeitungen, Zeitschriften, Manuskripte. Das Tagebuch war nicht dabei.

»Kann es dein Mann ...?«

Sie ließ Röttger nicht zu Ende reden. »Nein! Das ist ausgeschlossen.« Sie wußte, welche Frage jetzt kommen würde.

Röttger nickte. »Also dein Sohn. Ohne dein Einverständnis?«

Tonlos wiederholte sie: »Mein Sohn. Ohne mein Einverständnis. Ich verstehe nicht ...«

»Hast du einen Durchschlag?«

Sie schüttelte den Kopf. »Nein. Ich dachte doch nicht ..., ich habe es nicht zum Druck geschrieben, nur für mich ...«

»Ohne dein Einverständnis durften sie es nicht veröffentlichen. Du mußt sofort mit den Leuten reden. Vor allem mußt du dir das Original wiedergeben lassen.«

Es war nicht einfach, bei dem Chefredakteur von »Signal« vorgelassen zu werden. Als sie auf die Frage, in welcher Angelegenheit sie ihn sprechen wolle, geantwortet hatte, in einer persönlichen, erklärte ihr die Sekretärin, der Chefredakteur sei sehr beschäftigt. Sie müsse schon sagen, um was es sich handle.

Da erst nannte sie ihren Namen und sprach von dem Tagebuch.

»So, Sie sind das«, sagte die Sekretärin und musterte Anne ungeniert.

Der Chefredakteur war ein immer noch gutaussehender Mann um die Fünfzig, mit angegrauten Schläfen und dunkler Brille. Er kam Anne entgegen. »Ich freue mich, Sie persönlich kennenzulernen, gnädige Frau«, begrüßte er sie. »Ihr Tagebuch hat beim Publikum und auch in der Presse viel Beachtung gefunden. Es spricht die Menschen an. Was sie wissen wollen, sind nicht nur allgemeine Informationen, es sind gerade die Details, die kleinen Dinge, aus denen man sich das alltägliche Leben in einem Lande vorstellen kann. Aber bitte, nehmen Sie doch Platz. Darf ich Ihnen etwas anbieten? Eine Tasse Kaffee oder …«

»Nein, danke.« Anne setzte sich. Sie sprach leise und zurückhaltend. »Das Tagebuch wurde Ihnen von meinem Sohn ohne mein Wissen und ohne mein Einverständnis gegeben. Leider muß ich das sagen. Mein Sohn wußte genau, daß ich mit einer Veröffentlichung in Westberlin niemals einverstanden gewesen wäre. Die Art Ihrer Auszüge, Ihre Bemerkungen und Kommentare zeigen mir, wie berechtigt meine Befürchtungen waren. Aber leider wußte ich bis zum gestrigen Tag nicht von der Veröffentlichung. Ich muß Sie darum bitten, eine von mir entsprechend formulierte Notiz, die den Sachverhalt aufklärt, abzudrucken. Weiter bitte ich Sie um das Original des Manuskripts.«

Der Chefredakteur ließ sie ausreden. Durch die

dunkle Brille konnte sie seine Augen nicht sehen. Vielleicht trug er die Brille gerade deshalb.

»Ich glaube, verehrte gnädige Frau«, begann er dann ohne die geringste Beunruhigung, »Sie stellen sich das etwas zu einfach vor. Als Ihr Herr Sohn uns das Tagebuch brachte, haben wir natürlich sofort die Frage nach dem Einverständnis seiner Mutter gestellt. Ohne dieses Einverständnis hätten wir mit der Veröffentlichung nicht begonnen. Darf ich Sie bitten, diese schriftliche Erklärung Ihres Sohnes zur Kenntnis zu nehmen.« Er reichte ihr ein vorgedrucktes Formular, auf dem stand: »Ich erkläre an Eides Statt, daß ich das Tagebuch meiner Mutter, Frau Anne Lehmbrück, mit deren Willen und Einverständnis der Zeitschrift ›Signal‹« – es folgte die genaue Anschrift – »übergeben habe.« Darunter handschriftlich: »Peter Lehmbrück.«

Der Chefredakteur wartete offensichtlich auf eine Reaktion. Da sie nicht kam, sprach er weiter. »Wir haben es nach dieser Erklärung Ihres Sohnes nicht für nötig erachtet, uns auch mit Ihnen in Verbindung zu setzen, denn es geschieht mitunter, daß Autoren uns ihre Manuskripte, nun, sagen wir, auf nicht ganz legalem Wege, was Ihre Gesetzlichkeit betrifft, zum Abdruck anbieten. Ich sage Ihnen da bestimmt nichts Neues. Wenn dies bei Ihnen nicht zutrifft und Sie die Handlungsweise Ihres Herrn Sohnes nicht billigen, bleibt Ihnen, so sehr ich das bedaure, nichts anderes übrig, als Ihren Sohn vor Gericht zur Verantwortung zu ziehen. Das heißt, ihn wegen Meineids zu belangen. Was erschwerend hinzukommen dürfte, daß Ihr Herr Sohn das vereinbarte Honorar bereits erhalten hat. Das Originalmanuskript haben wir an die Adresse Ihres Sohnes zurückgeschickt, er muß es bereits erhalten haben. Ich erwarte also eine entsprechende gerichtliche Entscheidung; sobald diese vorliegt, werden wir Ihre ›Notiz‹ veröffentlichen. Natürlich nicht, ohne die Leser von den Umständen der ganzen Angelegenheit unterrichtet zu haben.«

Anne wußte später nicht mehr im einzelnen, was sie dem Mann alles über die Unmenschlichkeit seines Verhaltens vorwarf, aber die Sache hatte sich in ihre Erinnerung eingegraben und wurde immer deutlicher, je öfter sie sie nach Peters Tod in Gedanken erlebte. Die unverschämte Gelassenheit des Mannes, der bedauerte, daß ihr Sohn sie in diese gewiß nicht angenehme Lage gebracht habe, und der erstaunte, neugierig-mitleidige Blick der Sekretärin, als sie an ihr vorbeiging.

Sie hatte kein Gerichtsverfahren gegen Peter eingeleitet. Das konnte sie nicht. Aber es war schlimm, was er ihr angetan hatte.

»Macht mit mir, was ihr wollt«, hatte sie den Genossen gesagt, »aber ich kann ihn nicht anzeigen. Er ist mein Sohn. Ich muß mit ihm sprechen. Er muß mir erklären, warum er es getan hat. Des Geldes wegen bestimmt nicht, das glaube ich einfach nicht.«

Sie kam mit einer strengen Rüge davon.

Gegen »Signal« vorzugehen war zwecklos. Ein Gerichtsverfahren würde nur Anlaß zu neuer Propaganda sein.

Gregor riet ihr, sich mit den Gegebenheiten abzufinden. Ändern könne sie nichts.

Sie hatte sich nicht abgefunden.

Sie hatte lange nichts mehr von Peter gehört, ihre letzten beiden Briefe hatte er nicht beantwortet. Dann, nach Wochen, bekam sie sie ungeöffnet zurück mit ein paar Begleitworten des jungen Mannes, bei dem er gewohnt hatte. Dieser teilte ihr mit, daß ihr Sohn verzogen sei, leider wisse er nicht, wohin. Sie hätten sich nicht im besten Einvernehmen getrennt.

Sie zerbrach sich den Kopf, woher sie Peters neue Anschrift erfahren könnte. Seine Freundin, fiel ihr ein, Monika Kasten. Er hatte sich zwar von dieser Freundin getrennt, aber möglicherweise waren sie noch brieflich in Verbindung. Die Mutter Monikas lebe in Westberlin, der Vater jedoch sei mit der Tochter in der DDR geblieben, hatte Annemarie damals erzählt. Ob diese Monika Kasten telefonisch zu erreichen war? Anne wollte sich nicht an Annemarie wenden, sie schaute im Telefonbuch nach. Es gab viele Kasten. Anne rief der Reihe nach an und betete ihr Sprüchlein herunter: »Kann ich bitte Fräulein Monika Kasten sprechen?« Immer wieder die gleiche Antwort: »Hier wohnt keine Monika Kasten.« Endlich sagte eine Männerstimme: »Meine Tochter ist nicht zu Hause. Kann ich etwas ausrichten?«

»Bitte sagen Sie ihr ..., die Mutter von Peter Lehmbrück habe angerufen. Ich würde sie gern kurz sprechen, es ist wichtig. Wenn Sie so freundlich wären, ihr meine Nummer zu geben?«

»Nicht nötig«, hörte sie die Stimme am anderen Ende. »Die Nummer hat sie. Guten Abend, Frau Lehmbrück. Schade, daß wir uns nicht kennengelernt haben. Monika wird Sie anrufen.«

»Danke«, stammelte Anne. »Ich erwarte ihren Anruf, auch wenn es spät werden sollte.«

Vielleicht hatte Monikas Vater erwartet, daß sie mit ihm über Peter spreche, aber das konnte sie nicht.

Es wurde später und später, kein Anruf.

»Sie ruft bestimmt morgen an«, tröstete sie Gregor. »Vielleicht will sie so spät nicht mehr stören, es ist bald dreiundzwanzig Uhr.«

Gregor hatte wahrscheinlich recht. Anne beschloß, schlafen zu gehen, da läutete das Telefon. »Ich bitte um Entschuldigung, daß ich noch anrufe, aber Vater hat gesagt, es sei wichtig. Sie wollten mit mir über Peter sprechen?«

»Ja«, antwortete Anne verwirrt, »aber durchs Telefon ...«

»Hat es Zeit, wenn ich morgen zu Ihnen komme, Frau Lehmbrück?« fragte Monika. »So gegen siebzehn Uhr, früher kann ich leider nicht.«

»Das ist sehr freundlich. Danke. Ich erwarte Sie.«

Annes Erwartungen aber wurden enttäuscht. Peter hatte Monika nur einmal und sehr kurz geschrieben. Sie wußte auch nicht, wo er sich jetzt aufhalte. »Ich werde meine Mutter einspannen«, versprach sie. »Mutter lebt drüben. Irgendwo muß Peter doch gemeldet sein.«

»Und wenn er sich unangemeldet bei jemand aufhält?« fragte Anne.

»Das kann natürlich auch sein«, gab Monika zu, »aber versuchen kann man es ja. Übrigens ...«, fügte sie überlegend hinzu, »gibt es da noch jemand, der etwas über Peter wissen könnte. Ein Medizinstudent. Er soll einer linken politischen Gruppierung angehören und wohnt in einer Kommune, wenn Sie wissen, was darunter zu verstehen ist?«

»Ich weiß, was darunter zu verstehen ist. Wie heißt dieser Student?«

»Rolf Wittgen«, antwortete Monika. »Er kam öfter hier rüber, hat hier irgendwelche Verbindungen.«

»Und Sie wissen, wo man ihn erreichen kann?«

»Das werde ich schon rauskriegen.«

»Sie meinen, er könnte etwas über Peter wissen?«

»Es könnte sein«, entgegnete Monika.

Anne versprach sich nicht viel von diesem Rolf Wittgen, aber Monika Kasten wollte ihr helfen. Zudem schien sie an Peter immer noch interessiert zu sein. Dennoch war alles, was sie gesagt hatte, ungewiß und schien ziemlich aussichtslos.

Fast zwei Wochen waren vergangen, Annes Zweifel schienen gerechtfertigt, da klingelte es draußen, und Gregor ging, um zu öffnen. Anne hörte, daß er mit jemand sprach. Es war eine Frau, offensichtlich ein Besuch. Aber warum führte Gregor ihn nicht herein? Anne wollte schon selbst nachsehen, als Gregor eine Frau von etwa dreißig, fünfunddreißig Jahren eintreten ließ und vorstellte: »Das ist Frau Tete Dornbusch, Anne. Sie bringt Nachricht von Peter.«

In Erinnerung erlebte Anne die Vielzahl von Gefühlen wieder, die bei diesen Worten damals auf sie eingestürzt waren. Das Glücksgefühl, endlich etwas von dem Sohn zu hören, und die Angst, etwas Schlechtes hören zu müssen.

»Bitte, setzen Sie sich«, bat sie aufgeregt. »Was wissen Sie von Peter? Wir haben seit Monaten keine Nachricht mehr von ihm. Wir haben uns große Sorgen gemacht. Entschuldigen Sie ..., ich bin ganz durcheinander. Darf ich Ihnen eine Tasse Kaffee anbieten? Gregor, würdest du so lieb sein ...«

Frau Dornbusch fiel ihr ins Wort. »Machen Sie sich bitte meinetwegen keine Umstände. Sie sind der Vater?« wandte sie sich an Gregor.

»Der Stiefvater«, antwortete Gregor.

Tete Dornbusch nickte. »Ich weiß. Peter hat es nicht gewagt herzukommen. Die Sache mit dem Tagebuch ist schrecklich für ihn. Er hat es nicht des Geldes wegen getan, das dürfen Sie nicht annehmen. Er war bei Dr. August, das ist der Chefredakteur vom ›Signal‹, und hat einen Riesenkrach gemacht, weil sie Stellen veränderten und vieles weggelassen haben. Aber der Mann ist abgebrüht. Es sei vereinbart, behauptet er, das Tagebuch in Auszügen zu veröffentlichen, und die Auszüge müsse die Zeitschrift nach ihrem Ermessen wählen. Geringfügige Wortänderungen und Einfügungen seien üblich, Herr Lehmbrück solle sich künftig seine Verträge ansehen, bevor er sie unterschreibe. Peter war total fertig, als er nach Hause kam.«

»So, Peter war fertig«, nahm Gregor die Worte der Frau auf. Er hatte vorgehabt, sich nicht einzumischen, aber er war zu aufgebracht. »Hat er sich nicht gefragt, was er seiner Mutter antut mit dieser ... dieser Veröffentlichung?«

Anne, die fürchtete, daß Gregors Einwurf Frau Dornbusch am weiteren Erzählen hindern werde, wartete die Antwort nicht ab. »Sagen Sie Peter bitte«, begann sie hastig, »daß wir miteinander reden müssen. Er wird keine Vorwürfe zu hören bekommen, obwohl die Sache ziemliche Folgen für mich hatte. Sagen Sie ihm, daß wir ihn erwarten. Wohnen Sie auch in der ›Kommune‹?«

Frau Dornbusch nickte. Sie überlegte kurz und sagte dann zögernd: »Vielleicht wäre es besser, wenn Sie rüberkämen. Er möchte hier niemandem begegnen. Hier ist die Adresse.« Sie nahm einen Zettel aus ihrer Tasche und legte ihn vor Anne auf den Tisch. »Sie können ihn aber auch anrufen und etwas mit ihm vereinbaren. Es wäre gut, wenn Sie es täten. Das Zerwürfnis mit Ihnen geht ihm sehr nahe. Die Telefonnummer steht auch drauf.«

»Ich rufe ihn an«, sagte Anne, »ich werde kommen.« Sie bemerkte, daß Gregor es mißbilligte, aber sie kümmerte sich nicht darum.

»Hältst du es für richtig, zu ihm zu fahren, nach allem, was vorgefallen ist?« fragte Gregor, nachdem Frau Dornbusch gegangen war.

»Ich will nicht nur wegen des Tagebuchs mit ihm reden«, antwortete sie. »Ich will auch wissen, was er macht, wie er lebt, wo er lebt, mit was für Leuten er Umgang hat. Ich möchte erfahren, welche Vorstellungen er sich von seinem weiteren Leben macht. Verstehst du das nicht, Gregor? Vielleicht haben die Genossen recht, vielleicht habe ich dazu beigetragen, daß er so reagierte. Vielleicht hatte auch er recht, als er mir vorwarf, mich nicht mit ihm ausgesprochen, ihm manches verheimlicht zu haben. Aber darüber muß ich mir doch klarwerden. Ich kann nicht plötzlich so tun, als ginge er mich nichts mehr an.«

Gregor schwieg. Plötzlich fragte er leise: »Soll ich mitkommen?«

Anne wußte, daß Gregor es ernst meinte, obwohl ihm der Vorschlag, mitzukommen, bestimmt schwergefallen war. Aber sie wußte auch, daß Peter sich sofort verschließen würde, wenn Gregor dabei wäre. Daß ein richtiges Gespräch nicht zustande käme. »Es ist lieb von dir«, sagte sie und strich Gregor über die Haare. »Aber ich glaube, es ist besser, ich fahre zunächst allein.«

Sie rief an. Peter mußte an den Apparat geholt werden.

»Mutter«, sagte er. Sie merkte am Tonfall, wie sehr er sich freute. Er beschrieb ihr ausführlich, wie sie zu fahren habe. »Soll ich dich vielleicht beim Ausgang der S-Bahn abholen?« fragte er.

»Nicht nötig«, antwortete sie, »man ist dann zu sehr an die Zeit gebunden. Ich finde schon. Bis dann.«

»Bis dann«, wiederholte er. Sie wollte schon auflegen, da fügte er noch leise hinzu: »Auf Wiedersehen, Mutter. Es tut mir leid.«

»Auf Wiedersehen, Junge«, sagte sie, aber er war schon weg.

»Ist etwas mit dir?« fragte Gregor, als er nach Hause kam. »Du bist so verändert.«

»Ich habe mich mit Peter verabredet«, antwortete sie. »Dienstag fahre ich rüber.«

Nachts schlief sie schlecht. Sie führte Gespräche mit Peter, aber es gab keinen Streit, sie unterhielten sich wie früher. Als sie aus dem Halbschlaf erwachte, wußte sie nicht mehr, worüber sie gesprochen hatten.

November 1960. Es war ein trüber, naßkalter Tag. Sie erinnerte sich noch so genau daran, weil sie einen Artikel über landwirtschaftliche Produktionsgenossenschaften geschrieben hatte, der morgens, bei der täglichen Besprechung in der Redaktion, lobend hervorgehoben worden war. Sie nützte die Gelegenheit, den Chef nach der Sitzung zu fragen, ob sie etwas früher gehen dürfe. Sie habe noch etwas vor.

Westberlin. Wenn sie daran dachte! Wie einfach war es gewesen, hinzukommen – man setzte sich einfach in die S-Bahn –, und wieviel schwerer war es jetzt. Aber damals fuhr sie nur, wenn es unbedingt sein mußte, und nun, da Peter nicht mehr lebte, hatte sie keinen Grund mehr, zu fahren.

Die Fahrt zu ihrem Sohn damals hatte sie nur wie durch einen Schleier wahrgenommen. Jetzt, nach dem Tode Peters, erhielt alles in ihren Erinnerungen ein plastischeres, deutlicheres Aussehen. Das Haus in der Lützowstraße, das bestimmt einmal bessere Zeiten gesehen hatte, von dem der Putz abblätterte, die Balkone den Eindruck machten, als sei es gefährlich, sie zu betreten, die schwer zu entziffernde Hausnummer. Sie sah alles vor sich, so wie es damals war, als sie Peter besuchte.

Die Kommune hatte zwei Wohnungen der zweiten Etage zu einer vereint. Die Namen der Mieter waren neben der Wohnungstür auf Visitenkarten mit Reißzwecken festgemacht.

Anne klingelte. Sie wartete ein Weilchen, aber man schien sie nicht gehört zu haben. Sie überlegte, ob die Klingel nicht funktioniere und sie klopfen solle, als sie Schritte hörte und ein junger Mann in Jeans und Pullover öffnete. »Sie wünschen?«

»Ich komme zu Herrn Lehmbrück«, antwortete sie und wollte hinzufügen, daß sie die Mutter sei, aber der junge Mann ließ sie nicht weiterreden. »Kommen Sie«, forderte er sie auf, ging voraus und klopfte an eine Tür. »Peter, dein Typ wird verlangt.« Er wartete keine Antwort ab, sondern verschwand in einem gegenüberliegenden Zimmer.

»Hast du gleich hergefunden?« fragte Peter, während er der Mutter Hut und Mantel abnahm. Anne sah, wie schwer es ihm fiel, seine Erregung zu verbergen. Sie wollte ihm helfen, über die Situation hinwegzukommen, und fragte lächelnd: »Das ist also eine Kommune? Es ist gut, so etwas selbst kennenzulernen, um sich ein Bild machen zu können.«

Peter ging auf das Ablenkungsmanöver ein, obwohl er es durchschaute. Ausführlich erläuterte er, wer sich hier alles zusammengefunden habe, und beschrieb die Aufteilung der Räume.

»Versteht ihr euch?« fragte Anne.

»In der Hauptsache schon«, antwortete Peter ein wenig zurückhaltend. »Es gibt natürlich auch Streit, meist wegen der Kinder, aber ich bin davon nicht betroffen.«

»Und du lebst allein?«

Ganz kurz zuckte das ironische Lächeln bei Peter auf, das Anne so gut kannte, dann aber sagte er freundlich: »Ich wohne allein, Mutter, aber ich habe eine Freundin. Das wolltest du doch wissen? Sie besucht mich, das ist eine ganz gute Lösung.«

Anne hätte gern gefragt, wer diese Freundin sei, aber es war nicht der richtige Augenblick. Er würde später vielleicht von sich aus darauf kommen.

»Warte einen Moment«, bat er. »Ich mache schnell Kaffee. Bin gleich wieder da.«

»Laß doch«, bat sie. »Muß man denn immer etwas trinken ...«, aber er war schon verschwunden.

Sie sah sich in dem Zimmer um. Es war hell und geräumig, hatte eine hohe Stuckdecke, wahrscheinlich ließ es sich nur schlecht heizen, es war ziemlich kalt. Die Einrichtung bestand aus Möbelstücken, die nicht zueinander paßten: einem altertümlichen Schrank, einem Schreibtisch, der nur ein Brett auf zwei Böcken war, einer modernen, aber abgewetzten Couch, die offenbar als Schlafstelle diente, einem Tisch und zwei Stühlen. Ein Bücherbord, das an der Wand hing, war vollgepackt. Sie las die Namen der Autoren: Tolstoi, Dostojewski, Ehrenburg, an deutscher Literatur nur Heine. Alles andere waren Fachbücher verschiedener Richtungen. Sie kam nicht dazu, sich weiter mit ihnen zu beschäftigen, denn Peter trat ein. Er trug ein Tablett mit Kaffee, Kaffeegeschirr, einigen Stücken Kuchen und Sahne. »So, jetzt können wir reden«, sagte er.

»Zunächst ..., ich bin nicht hergekommen, um dir Vorwürfe zu machen«, begann sie vorsichtig.

Er stieß einen Laut aus, der sich wie ein unterdrücktes Stöhnen anhörte. »So viel Vorwürfe, wie ich sie mir gemacht habe, Mutter, kannst du mir gar nicht machen«, sagte er.

»Und warum hast du es getan?«

»Warum, warum ...? wiederholte er. »Es lag auf dem kleinen Tisch neben dem Schreibtisch, als ich meine Sachen holte. Ich nahm es mit, um es zu lesen, du hattest immer so geheimnisvoll damit getan. Aber als ich es gelesen hatte, war ich der Meinung, daß es veröffentlicht werden müsse. Einige deutsche Emigranten, die aus der Sowjetunion gekommen waren, hatten ihre Erlebnisse im Ausland veröffentlicht: verleumderisch, gehässig, feindlich. In deinem Tagebuch ist das anders. Du bist kritisch und versuchst, nichts zu beschönigen, vielleicht darum, weil du nie die Absicht hattest, es zu veröffentlichen. Aber du wirst nie feindlich oder bösartig. Und du kritisierst nicht nur, du zeigst auch das Große, das Schöne. Ich habe Genossen Reimer dein Tagebuch gegeben, er hat es gelesen. Ich weiß, ich hätte dich fragen müssen, aber du hättest es wahrscheinlich nicht erlaubt.«

Anne schluckte. »Ich hätte es wahrscheinlich nicht erlaubt«, bestätigte sie. Reimer hatte ihr nicht gesagt, daß er ihr Tagebuch gelesen hatte. »Und was sagte Genosse Reimer?«

»Er sagte, das Tagebuch sei sehr lebendig geschrieben, und er hätte manche Menschen, trotz erfundener Namen, sofort wiedererkannt. Er selbst sei sehr beeindruckt gewesen, aber man würde es bei uns nicht herausbringen. Er verstehe das, man

üsse erst eine Zeit verstreichen lassen, ehe ... Na
.«

»Und du bist anderer Ansicht«?

»Ja. Ich war der Ansicht, daß man es sofort veröf-
entlichen müsse. Daß man es gleich nach dem
X. Parteitag hätte herausbringen sollen.«

»Und da hast du mein Tagebuch dem Feind ausge-
efert.« Sie hatte sich fest vorgenommen, ihm keine
orwürfe zu machen, und nun hatte sie es ihm doch
orgeworfen.

Peter sah die Mutter nicht an. Sein Blick war ange-
pannt, die Falten zwischen den Augen hatten sich
ertieft. »Ich war überzeugt, daß man es so drucken
vürde, wie es ist«, sagte er gequält. »Sie hatten es mir
ersprochen. Ich kannte ihre Methoden noch nicht.«

»Und was hättest du dir versprochen, wenn sie es
o gedruckt hätten, wie es ist?«

Peter antwortete nicht sofort. »Ich war der Mei-
ung, daß das Feindbild, das man uns vom Westen
ufgebaut hat, nicht stimmt. Und in manchem
timmt es auch nicht«, sagte er endlich. »Wie ge-
chickt und differenziert sie das Feindbild von uns
erbreiten, habe ich erst hier begriffen.«

»Und warum kommst du nicht zurück, wenn du
las begriffen hast?« fragte Anne lebhaft.

»Ich habe verschiedene Gründe, Mutter, es we-
igstens vorläufig noch nicht zu tun. Einer, den du
vielleicht akzeptieren wirst, ich möchte mein Studium nicht unterbrechen. Ein anderer ...«, er zögerte, sprach dann aber weiter, »daß ich hier Kommilitonen gefunden habe, mit denen ich mich gut
verstehe.«

»Frau Dornbusch sprach von einer Gruppe linker Studenten. Sind das die Kommilitonen, von denen du sprichst?«

»... ›Gruppe linker Studenten‹«, wiederholte Peter, den Satz in der Schwebe lassend. »So kann man es auch nennen. Es gibt viele solcher Gruppen.« Unschlüssig, ob es Sinn habe, mit seiner Mutter darüber zu reden, brach er ab.

Sie nahm seine Unschlüssigkeit nicht wahr. »Und was sind das für ›Linke‹«, fragte sie. »Was für ein Ziel haben sie?«

»Nicht nur ein Fernziel, Mutter. Das haben sie auch.« Seine Stimme klang gereizt. »Zunächst aber muß das, was barbarisch ist am Imperialismus, als barbarisch entlarvt, muß der Parlamentarismus mit seiner Scheinheiligkeit und Heuchelei von Demokratie in Frage gestellt werden. Nicht erst, ›wenn die Zeit reif ist‹, sondern schon jetzt! Schon heute!«

Peter hatte sich in ein Pathos gesteigert, das ihm früher immer fremd gewesen war, über das er sich bei anderen lustig gemacht hatte. Mit diesem fremden Pathos, schien es Anne, entfernte sich ihr Sohn immer weiter von ihr.

»Was wollt ihr erreichen?« fragte sie und bemühte sich, ganz ruhig zu bleiben. »Schon heute, schon jetzt? Gegen wen, gegen was zieht ihr zu Felde? Gegen den Imperialismus? Gegen den Parlamentarismus? Mit Begeisterung und bloßen Händen? Damit schadet ihr euch und nützt keinem. Im Gegenteil, ihr schadet der Sache.«

»Welcher Sache?« fragte Peter ungeduldig. »Dem Sozialismus? Wir wollen ihn auch, Mutter, und sehen trotzdem zu, wie Tausende, nein Hunderttausende in der Welt tagtäglich sterben, nicht in Kriegen, auch nicht durch Krankheiten und Seuchen, sondern an Hunger! Warum sage ich dir das? Du weißt es genauso wie ich. Aber wir sind jung, Mutter, wir wollen das ändern, verändern, wenn es sein muß, mit Begeisterung und bloßen Händen, wie du gesagt hast. Wir müssen wissen, wofür wir leben. Du hast gekämpft für das, was du als richtig erkannt hast, laß mich meinen Weg finden, wie du deinen gefunden hast.«

Anne fühlte in sich etwas aufkommen, dessen sie nicht Herr zu werden vermochte. Ja, so hatte sie als junges Mädchen gedacht, genauso leidenschaftlich und unbedingt. Sie hatte das Glück gehabt, sofern man das Glück nennen konnte, in einer Zeit jung gewesen zu sein, in der die Fronten klarer, überschaubarer waren. Peter hatte es schwerer, gerade weil vieles bereits leichter war. Wie sollte er in seinem Alter erkennen, daß auf dem Weg zum Sozialismus zeitweise revolutionäre Ungeduld, dann aber wieder grenzenlose Geduld nötig waren. Konnte sie ihn überzeugen, wenn sie ihm vorhielt, daß Anarchismus, in welcher Form immer er auftrat, nie etwas wirklich verändert hatte? Und stimmte das auch in dieser Verknappung und Vereinfachung?

»Ich will dich nicht drängen, Peter«, sagte sie vorsichtig. »Sicher, ihr seid jung, und ihr müßt kämpfen, ihr müßt Dampf ablassen. Ich sage das nicht ironisch. Man läßt euch hier Ventile, damit ihr es könnt. Ich wollte, auch bei uns gäbe es solche Ventile. Aber du bist intelligent genug, um zu wissen, daß Revoluzzertum wissenschaftliche Erkenntnisse nicht ersetzen kann.«

»Wobei diese Erkenntnisse nur von Wert sind, wenn sie nicht starr und dogmatisch angewandt werden, Mutter.«

Einst wäre sie bei solchen Worten aufgefahren, nun nahm sie sie einfach nicht zur Kenntnis, weil es unter gar keinen Umständen zu einem Bruch zwischen dem Sohn und ihr kommen sollte.

Warum war sie damals dem Vorwurf Dogmatismus ausgewichen? Hatte sie befürchtet, zu scharf zu werden und ihren Sohn dann ganz zu verlieren? Heute, da sie nicht mehr mit Peter sprechen konnte, begriff sie es nicht. Wovor war sie ausgewichen? Wie viele alte Genossen reagierte sie bei Worten wie »dogmatisch«, »Dogmatismus« mit einer Überempfindlichkeit, die einer Allergie nahekam. Richtete sich dieser Vorwurf nicht gegen das formale Festhalten an überholten Anschauungen, gegen das jeder Marxist sein müßte, weil es mit dem Wesen des Marxismus nichts zu tun hatte? Wie falsch hatte sie sich im Gespräch damals verhalten. Aber jetzt brachten ihr die Selbstvorwürfe nicht einmal das Gefühl einer Erleichterung.

Es war spät geworden, als der Sohn sie zur S-Bahn brachte. Sie verabredeten, daß sie sich von Zeit zu Zeit sehen wollten, und Peter versprach, auch nach Hause zu kommen. Sie hätte gern gefragt, ob er seine Beziehungen zu Monika Kasten ganz gelöst habe, aber da er von sich aus nicht darauf kam, unterließ sie es. Ganz plötzlich, schon auf dem Bahnsteig, sagte er: »Sollte man das Tagebuch nicht

doch noch veröffentlichen? Es ist schade darum ...
Was meinst du, Mutter?«

»Ich weiß nicht«, hatte sie überrascht geantwortet. »Jetzt, wo es in ›Signal‹ erschienen ist?«

»Es ist doch völlig verstümmelt worden«, ging er auf ihre Worte ein. »Außerdem, es müßte ja nicht *das* Tagebuch sein, du könntest es auch in anderer Form schreiben. Es wäre wichtig, daß die Menschen etwas über die Zeit damals in der Sowjetunion erfahren. Nicht nur von Feinden, sondern von Menschen wie dir, die dem, was sie für richtig erkannten, treu blieben, trotz allem. Die auch nicht, wie viele deiner alten Genossen, zwar über die Zeit berichten, aber den Personenkult und seine Folgen, die sie oft im eigenen Leben zu spüren bekommen haben, einfach ausklammern und nur euphorisch Gutes schreiben. Du gibst ehrlich wieder, was du erlebt hast, wie es wirklich war, in seiner ganzen Widersprüchlichkeit.«

Der Zug kam.

»Denke einmal darüber nach, Mutter«, schloß Peter.

»Ich werde darüber nachdenken«, hatte sie geantwortet.

Zweimal in diesem Jahr war Peter nach Hause gekommen. Bei aller Freude verspürte Anne bei seinem ersten Besuch eine seltsame Beklemmung, eine Unsicherheit, wie man sie sonst nur fremden Menschen gegenüber empfindet, bei denen man nicht weiß, wie man sich ihnen gegenüber zu verhalten hat. Und sie glaubte, auch bei dem Sohn etwas Ähnliches festzustellen. Beide vermieden, Fragen nach Persönlichem zu stellen, besorgt, auf Tabus zu stoßen, die Anlaß zu Auseinandersetzungen geben könnten. Auf die Fragen Gregors, der von dem unausgesprochenen Einverständnis der beiden nichts ahnte, wie es Peter gehe, antwortete dieser ausweichend, allgemein, unpersönlich, es gehe ihm gut, er komme zurecht, die Eltern brauchten sich keine Sorgen zu machen. Ausführlicher berichtete er vom Kampf der Studenten gegen die Aufrüstung in der Bundesrepublik, erzählte Einzelheiten, sprach von dem Fall einer Hochschulprofessorin, der die Gemüter erregte, Renate Riemeck, die gemaßregelt worden war, weil sie ihre Studenten eine Prüfungsarbeit über Pädagogik in der DDR hatte schreiben lassen. Man hängte ihr ein Verwaltungsgerichtsverfahren an, verbot ihr bis zu der Entscheidung jede weitere Tätigkeit, isolierte sie damit von ihren Studenten. Die Empörung unter diesen, die Empörung in der ganzen Bundesrepublik war groß, änderte aber nichts an der Sachlage.

Anne erinnerte sich an ihren spontanen Ausruf: »Solche Zustände sind doch katastrophal« und an Peters trockene Zustimmung: »Das sind sie«, aber auch an seine Hinzufügung: »Immerhin ist es möglich gewesen, die Empörung öffentlich zum Ausdruck zu bringen.« Sie hatte diese Worte wie eine Zurechtweisung empfunden. Sie hielt sich von da ab mit allen Äußerungen zurück, empfand das aber als Fessel, die ihrem ganzen Wesen zuwiderlief.

Einmal noch durchbrach sie ihren Vorsatz zu schweigen.

Peter kam im Laufe des Gesprächs auf antisemitische Vorkommnisse, die sich in jüngster Zeit in der BRD ereignet hätten. Er erzählte von einer Synagoge in Köln, die mit Hakenkreuzen und Hetzparolen beschmiert worden war, von Morddrohungen, die jüdische Einwohner erhalten hatten, und daß es auch in München, Hamburg, Offenbach zu antisemitischen Ausschreitungen gekommen sei. Er sagte, es gäbe jüdische Büger, die, aus der Emigration nach Deutschland zurückgekehrt, überlegten, ob sie erneut emigrieren sollen. Solche Vorkommnisse würden von der Presse und der Regierung verharmlost.

Auf ihren ironischen Einwurf »Aber sie werden veröffentlicht« ging Peter nicht ein.

Wozu hatte sie die dumme Bemerkung gemacht? Immer wieder ärgerte sie sich über sich selbst.

Der Abend verlief ohne jede weitere Störung, harmonisch-gezwungen, und hinterließ bei Anne eine Leere, die ihr unerträglich vorkam. Vergeblich quälte sie sich nachträglich mit Selbstvorwürfen, daß sie alles falsch gemacht habe, trotz aller guten Vorsätze. Ihre Angst, daß ihr Sohn nun nicht mehr kommen werde, bereitete ihr schlaflose Nächte.

Aber er kam wieder, und bei seinem zweiten Besuch brachte er seine Freundin mit.

Sie gefiel Anne auf den ersten Blick. Kein schönes Gesicht, wenigstens nicht im üblichen Sinne, aber außerordentlich lebendig und anziehend. Sie bewegte sich ungezwungen, fast wie ein Junge. Die blonden Haare fielen in einer Welle in den Nacken und wurden dort mit einer seltsamen Klammer, die wie eine große Sicherheitsnadel aussah, zusammengehalten. Das Mädchen schien keinerlei Make-up zu verwenden. Die Brauen über den graublauen, sehr wachen Augen wirkten beinahe weiß. Schade, dachte Anne, die Augenbrauen müßte sie nachziehen, aber sie ist so natürlich, daß ihr jede Unnatur wahrscheinlich widerstrebt.

»Das ist Dorothea«, hatte Peter sie vorgestellt. »Aber alle nennen sie Dorle. Du kannst sie auch so nennen, Mutter.«

Anne hatte sich seltsam befangen gefühlt vor dem jungen Ding. »Ich freue mich, daß Peter Sie mitgebracht hat.« Konventioneller ging es nicht.

Peter schien sich über ihre Förmlichkeit zu ärgern. »Du kannst du zu ihr sagen, Mutter«, sagte er. Es klang wie eine Zurechtweisung.

»Sie ist Genossin. Als die Partei in der Bundesrepublik verboten wurde, ist sie aus Protest eingetreten. Sie ist äußerst konsequent in ihren Ansichten, sich selbst und anderen gegenüber.« Er lächelte seiner Freundin zu. »Darüber hat es die einzigen Streitigkeiten zwischen uns gegeben. Aber sonst ist sie in Ordnung. Sie hat sich darauf gefreut, dich kennenzulernen.«

»Peter hat mir viel von dir erzählt«, sagte Dorle, Anne ohne weiteres duzend. »Die Enthüllungen über den Personenkult und alles, was damit zusammenhing, haben ihn sehr durcheinandergebracht, aber das schlimmste für ihn war, daß du nicht mit ihm gesprochen hast, daß du kein Vertrauen zu ihm hattest. Trotzdem, ich kann dich verstehen. Ich habe lange darüber nachgedacht, warum du es nicht getan hast. Es gab gewiß sehr unterschiedliche Gründe für dich, es nicht zu tun. Nicht nur, daß du ihm ersparen wolltest, etwas über das Ende seines Vaters zu erfahren, gewiß auch, weil vieles für dich noch unbegreiflich war und man auch zuwenig wußte.«

Anne hatte überlegt, was sie dieser jungen Genossin sagen sollte, die sie eben erst kennengelernt hatte und die so frei über Dinge sprach, über die sie sich selbst noch nicht Rechenschaft ablegen konnte. »Es gab verschiedene Gründe«, bestätigte sie. »Und du bist nur aus Protest, weil man die Kommunistische Partei verboten hat, Mitglied geworden?«

Dorle errötete. »Natürlich nicht nur«, wehrte sie unwillig ab. »Ich wäre auch ohne das Verbot eingetreten, ich habe einiges, wenn auch nicht allzuviel, von Marx gelesen. Aber dieses scheinlegale Verbot, vom Bundesverfassungsgericht ausgesprochen, empörte mich.«

»Und was beim XX. Parteitag der KPdSU zur Sprache kam ...«, hatte sie tastend, unsicher begonnen, »empörte dich nicht?«

Dorle schüttelte den Kopf. »Ich verurteile das, was geschehen ist, aber der Personenkult war eine Entartung, und die sowjetischen Genossen haben selbst mit ihm abgerechnet. Auf der Suche nach neuen Wegen gibt es auch Irrwege, das hat der XX. Parteitag bewiesen.«

Peter lachte. »Gut gebrüllt, Löwe«, scherzte er.

Wie einfach und selbstverständlich das alles im Munde dieses Mädchens ist, dachte Anne. Ihr gefiel das Engagement der Kleinen. Immer mehr erinnerte es sie an die eigene Jugend, da sie zur Partei gekommen war mit dem festen Willen, das, was sie als richtig erkannt hatte, so schnell wie möglich in die Tat umzusetzen. »Du arbeitest also jetzt illegal?« fragte sie. »Ich kenne das, aus der Zeit vor dreiunddreißig. Aber wir hätten es uns nicht träumen lassen nach fünfundvierzig, daß es wieder einmal so weit kommen wird. Gute Genossen, die unter Hitler gesessen haben, sitzen heute drüben wieder, unter Adenauer. Die FDJ ist ja ebenfalls illegal. Haben sie auch kommunistische Studenten verhaftet?«

»Ja, sie verhaften, sie machen Haussuchungen und gehen dabei nicht sehr sanft mit den Leuten um«, entgegnete Peter. »Aber sie erreichen damit nur das Gegenteil. Die Bewegung unter den Studenten wächst, sie werden ihrer nicht Herr. Dorle und ich arbeiten an einer der vielen Studentenzeitungen mit, die wie Pilze aus dem Boden schießen. Man läßt sie gewähren, weil man sie so besser unter Kontrolle hat und weil man, leider zu Recht, damit rechnet, daß die Zersplitterung die Bewegung ungefährlicher macht.«

Anne hatte aufmerksam zugehört. »Und was ist das für eine Studentenzeitung, an der ihr mitarbeitet?« Der besorgte Unterton ihrer Frage war nicht zu überhören.

»Ein unabhängiges Blättchen, das an keine Partei gebunden ist, was seine Vorteile hat«, erläuterte Peter. »Der Vater eines Kommilitonen hat Geld beigesteuert, das andere kommt vom SDS. Der Kommilitone zeichnet als Herausgeber. Die Zeitung nennt sich ›Blitz‹, setzt sich mit Aufrüstung, Rassismus und anderem auseinander, gemäßigt, damit sie nicht verboten wird. Aber mit etwas Geschick kann man trotzdem manches sagen. Wir lernen, verschlüsselt zu reden, und die Leser lernen, Verschlüsseltes zu entschlüsseln. Die Leserzahl ist nicht groß, die Zeitung kann darum nur wenig zahlen, immerhin, sie wirft etwas ab.«

»Und davon lebt ihr?«

»Davon lebe *ich*. Über das Studentenwerk bekomme ich gelegentlich auch Arbeit.«

»Arbeit? Was für Arbeit?«

Der leicht ironische Ton, in dem Peter davon sprach, daß er Teppiche klopfe, Fenster putze und gelegentlich auch Einkäufe für alte Damen erledige, täuschte Anne nicht über seinen Galgenhumor hinweg. In anderem Zusammenhang hatte Dorle erwähnt, daß sie kein Geld gehabt hatten, um zwei Straßenbahnfahrscheine zu kaufen, und darum zu einer Tagung zu Fuß gelaufen seien. Dorle hatte es wie eine Selbstverständlichkeit und mit Humor erzählt, aber es beschäftigte Anne, obwohl sie nicht darauf einging.

Schon im Aufbruch, kam Peter auf das Tagebuch zurück. »Hast du darüber nachgedacht?« fragte er. »Die Stellung zur Sowjetunion wird immer gespannter. Du hast doch von dem amerikanischen Spionageflugzeug U2 gelesen, das von einer sowjetischen Rakete über dem Gebiet der SU abgeschossen wurde? Den Vorfall hat die antisowjetische Propaganda sofort genutzt, um die internationalen Spannungen zu erhöhen. In dieser Situation könnte die Wahrheit Wunder wirken, zumal die Schrecknisse

65

der Stalinzeit jener Propaganda die wirksamsten Argumente liefern. Du solltest über diese Jahre in der Sowjetunion schreiben, vielleicht mit Gedanken aus heutiger Sicht.«

Lebhaft griff Dorle die Worte Peters auf. »Kein Mensch hier kann sich von jener Zeit, beispielsweise von dem Alltag in der Sowjetunion, eine Vorstellung machen. Von den Losungen ›Das Leben ist besser, ist fröhlicher geworden‹, über die du schreibst, in der Zeit der meisten Verhaftungen, und daß diese Losungen auf vielen Gebieten der Wahrheit entsprachen. Von diesen kleinen Dingen wollen die Menschen etwas wissen, sie sind, in ihrer Gesamtheit, erst das Leben.«

In den nächsten Tagen begann Anne sich mit diesen Überlegungen zu befassen. Es war schon etwas an ihnen dran, gestand sie sich.

Auch Gregor, der an dem Gespräch mit Peter nicht teilgenommen hatte, fand sie interessant. »Er hat nicht unrecht«, sagte er nachdenklich, »bei den meisten unserer Schriftsteller ist alles, was mit Personenkult zu tun hat, ausgeklammert. Dabei hat es doch einen Zwanzigsten Parteitag gegeben, und die sowjetischen Schriftsteller setzen sich mit der Zeit auseinander …« Erstaunt und erfreut wollte Anne Gregor schon zustimmen, da fuhr er fort: »Doch vielleicht ist es für uns noch nicht an der Zeit.«

Wann wird es für uns an der Zeit sein, dachte Anne enttäuscht. Aber sie schwieg.

Die Ereignisse des Jahres 1961 brachen für sie alle Gedanken an eine Aufarbeitung der sowjetischen

Erlebnisse ab. Es war eigenartig, welche unterschiedlichen Assoziationen dieses Datum damals und heute, nach Peters Tod, bei ihr wachrief. Für viele Menschen hatte es damals eine sehr persönliche, ihr eigenes Leben, ihre Familienbeziehungen abrupt ändernde Bedeutung; Anne sah vor allem die politisch-welthistorischen Aspekte, die unbedingte Notwendigkeit, obwohl der Kontakt zu Peter noch schwieriger wurde. Heute begriffen wohl die meisten Menschen rückblickend den schmerzlichen Schnitt, begriffen seine historische und politische Unabänderlichkeit. Anne aber erinnerte sich nun mehr und mehr der persönlichen Umstände, die den Abstand zwischen ihr und dem Sohn immer größer werden ließen.

Begonnen hatte es bereits am 18. Juni 1948, als die Westmächte die Westmark einführten und Deutschland ein gespaltenes Land wurde. Nun gab es Westdeutsche und Ostdeutsche, Westdeutsche, das waren solche, die in den Westsektoren wohnten und Westgeld verdienten, Ostdeutsche wohnten im Ostsektor und verdienten Ostgeld. Westgeld war mit Hilfe des Marshallplans zu einem Zauber geworden, der Zugang zu allen Herrlichkeiten der Welt versprach. Anne hatte eine Frau, in den Anblick eines Schaufensters versunken, gesehen, von dem sie sich nicht loszureißen vermochte. Anne gewahrend, hatte sie gefragt: »Ist das nicht schön?«

»Können Sie sich das kaufen?« war Annes Gegenfrage.

»Nein«, hatte die Frau geantwortet. »Aber wenn ich Westgeld hätte, könnte ich es.«

Die Antwort war typisch.

In einer Reportage schrieb Anne damals über die Frauen der sogenannten Scheuerlappengeschwader. Putzfrauen, die jeden Morgen nach Westberlin zur Arbeit fuhren und für das eingetauschte Westgeld Frauen in Ostgeld bezahlten, die bei ihnen zu Hause saubermachten. Der Kurs der Westmark, der von Geschäftemachern ständig manipuliert wurde, war vier-, fünf-, mitunter sechsmal höher als der der Ostmark. Und es waren nicht nur Putzfrauen, die in Westberlin arbeiteten, sondern auch qualifizierte, im Osten dringend gebrauchte Arbeiter, zum Teil von Schleppern abgeworben. Der Kurs der Westmark setzte Westberliner überdies in die Lage, wertvolle Waren, Schmuck, Antiquitäten zu Schleuderpreisen zu erwerben.

Immer größer wurde darum die Zahl derjenigen in der DDR, die sagten: »So geht es nicht weiter! Sie bluten uns aus!«

1961 hatte sie die unsichtbar-sichtbare Mauer der separaten Währungsreform, die die Bevölkerung Deutschlands von 1948 in Menschen mit Westgeld und Menschen ohne Westgeld geteilt hatte, zu einem steinernen Wall werden sehen.

Die westdeutschen Schriftsteller wandten sich in einem offenen Brief an die Schriftsteller der DDR mit der Aufforderung, zum Mauerbau Stellung zu nehmen, da Schriftsteller das Gewissen der Nation zu sein hätten. Sie forderten sie auf, gegen »das Unrecht vom 13. August« zu protestieren.

Ihre Zeitung hatte Anne beauftragt, über diesen Briefwechsel zu schreiben. Sie bat den Schriftstellerverband, ihr Durchschläge der Antwortbriefe zu geben, begann ihren Bericht mit einer Schilderung des Zustands nach 1948, der separaten Währungsreform und ihren Auswirkungen, ging auf die Solidarisierung der meisten DDR-Schriftsteller mit den Maßnahmen ihrer Regierung ein und zitierte zum Abschluß den Auszug aus einem Antwortbrief von Stefan Hermlin: »... Das Unrecht vom 13. August? Von welchem Unrecht sprechen Sie? Wenn ich Ihre Zeitungen lese und Ihre Sender höre, könnte man glauben, es sei vor vier Tagen eine große Stadt durch eine Gewalttat in zwei Teile auseinandergefallen. Da ich aber ein ziemlich gutes Gedächtnis habe und seit vierzehn Jahren in dieser Stadt lebe, erinnere ich mich seit Mitte 1948 einer gespaltenen Stadt mit zwei Währungen, zwei Bürgermeistern, zwei Stadtverwaltungen, zweierlei Art von Polizei, zwei Gesellschaftssystemen, einer Stadt, beherrscht von zwei einander diametral entgegengesetzten Konzeptionen des Lebens. Die Spaltung Berlins begann Mitte 1948 mit der bekannten Währungsreform. Was am 13. August erfolgte, war ein logischer Schritt in einer Entwicklung, die nicht von dieser Seite der Stadt eingeleitet wurde ...«

Sie hatte zu ihrem Artikel mehrere Briefe erhalten, zustimmende, auch ablehnende, allerdings anonym, aber die größte Freude bereitete ihr der Brief ihres Sohnes, der die Zeitung irgendwo gelesen haben mußte. Er fand den Beitrag lebendig und vor allem »ohne erhobenen Zeigefinger«. »Gut, Mutter, mach weiter so!« Sie mußte über die Art, wie der große Sohn ihr auf die Schulter klopfte, lächeln.

Sonst teilte er ihr nur, wie immer, mit, daß er so viel verdiene, um leben zu können, und daß sie sich um ihn keine Sorgen zu machen brauche.

Von da ab schrieb er wieder ziemlich regelmäßig. Er bezeichnete die politische Arbeit unter den Studenten als nicht einfach, aber notwendig und wichtig, auch wenn sie ihm viel Zeit nehme. Er betrachte sie im Augenblick als seine vordringliche Aufgabe. Er sei überzeugt, daß sie ihn verstehe. Ihre Feststellung, daß sie sich keine Vorstellung von seinem wirklichen Leben machen könne, das doch nicht nur aus politischen Aktivitäten bestünde, beantwortete er dahin, daß sie sich wahrscheinlich auch keine Vorstellung machen könnte, wenn er ihr den Ablauf seiner Tage präzise schilderte, was außerdem kaum zu machen sei, weil jeder Tag anders ablaufe.

In einem weiteren Brief äußerte er sich eingehend über die »Neue Linke«, die aus Protest gegen die große Koalition von SPD und CDU/CSU gebildet war und die in der APO, der außerparlamentarischen Opposition, zusammengefaßt wurde. Da er nicht wisse, wie weit die Eltern orientiert seien, teilte er ihnen die Wirkungsabsichten und Wirkungsbereiche dieser Organisationen immer gleich mit. Die APO, fuhr er dann fort, kämpfe für den Frieden, für die Demokratisierung der Hochschulen, sie solidarisiere sich mit dem Kampf des vietnamesischen Volkes. »Ihr wißt sicher vieles darüber«, schrieb Peter, »aber die meisten Menschen in der BRD wollen es nicht wissen, wollen nichts damit zu tun haben, weil sie dann die Amerikaner verurteilen müßten, die ihnen das ›Wirtschaftswunder‹ gebracht haben.« Dann teilte er den Eltern noch mit, daß er einen großen Artikel zum Thema Vietnam geschrieben habe, der in einer Studentenzeitung veröffentlicht wurde. Den Ausschnitt schicke er den Eltern mit gleicher Post. Ganz zum Ende bemerkte er nur noch, ohne jeden Kommentar, daß Dorle zu ihm gezogen sei, weil sie es in ihrem sehr christlichen Elternhaus nicht mehr ausgehalten habe. Sie lasse grüßen.

Obwohl Anne es bedauert hatte, daß Peter sie so wenig an seinem persönlichen Leben teilnehmen ließ – daß Dorle zu ihm gezogen war, mußte ihm doch viel bedeuten –, erzeugten seine Briefe für sie eine Nähe, die sie die Tatsache, daß sie sich nun nicht mehr wie vorher einfach treffen konnten, leichter ertragen ließ. Seine politische Stellungnahme, seine Warnung vor einer neofaschistischen Entwicklung in der Bundesrepublik, die sich zwar in anderen Formen äußere als bei den Nazis, die aber nicht weniger gefährlich sei, sein Eintreten für Vietnam, all das teilten sie doch mit ihm.

»Im Grunde genommen kämpft er gegen die gleichen Dinge, gegen die wir kämpfen, und für die gleichen Ziele wie wir, meinst du nicht?« fragte sie Gregor.

»Er wird seinen Weg schon finden«, antwortete Gregor. Es war kein Ja und kein Nein auf ihre Frage.

Im Rundfunk und erstmals im Fernsehen verfolgten sie und Gregor, Hinweisen des Sohnes folgend, nun die Entwicklung in Westberlin und in der Bundesrepublik. Es war wirklich allerhand los dort drüben.

So sprach sich die bekannte Hochschulpädagogin Frau Professor Renate Riemeck, von der Anne bereits mehrfach gehört hatte, für die politische Arbeit außerhalb des Parlaments aus. »Wir müssen an diesem Gedanken des Widerstands festhalten«, sagte sie, »denn der Faschismus marschiert in Europa. Er kommt diesmal nicht in Schwarzhemden und in SA-Stiefeln, nicht in ›Duce‹- und ›Deutschland erwache‹-Rufen. Er kommt im Gewande der Legalität ... Deshalb sind außerparlamentarische Taten, welcher Art sie auch sein mögen, das einzige Mittel, um eine echte politische Meinungsbildung in unserem Volk zu reaktivieren.«

»Eine ungewöhnliche Frau«, begeisterte sich Anne.

Gregor nickte. »Außergewöhnlich, auch mutig. Aber was sie so sagt, ist nicht ganz ungefährlich für junge Menschen.«

»Wieso ›nicht ganz ungefährlich‹? Sie spricht doch nicht von einer Entwicklung zum Terrorismus.« Wie oft ärgerte sich Anne über Gregors ständige Einschränkungen. Er kann sich nicht richtig begeistern, meinte sie. Später aber mußte sie an seine Worte denken.

Das Gefühl von Lähmung, das Anne nach dem Tode Peters befallen und sie unfähig zu jeder Arbeit gemacht hatte und das allmählich einer hektischen Betriebsamkeit wich, erinnerte sie an die ersten Jahre, nachdem die Grenzen geschlossen worden waren. Betriebsamkeit bei gleichzeitig quälender Passivität, das eine schloß das andere nicht aus, im Gegenteil.

es bedingte einander. Ihre Hektik damals war auch nichts anderes als Flucht vor dem erzwungenen Nichts-tun-Können gewesen, das ihrem Wesen ganz fremd war. Nur daß es damals noch nicht dieses Nichts-*mehr*-tun-Können gegeben hatte.

Der Chef hatte sich damals über ihre Bereitwilligkeit, in die entlegensten Orte der Republik zu fahren, um über Betriebe und landwirtschaftliche Genossenschaften zu berichten, gewundert. Was sie schrieb, fand ein gutes Echo bei den Lesern und Anerkennung in der Redaktion. Der Chefredakteur behauptete, sie verstehe es, Menschen zum Reden zu bringen, Wesentliches aus ihnen herauszuholen, ja, Themen wie Arbeitsproduktivität in Verbindung mit technisch-wissenschaftlichem Fortschritt so lebendig und gleichzeitig konkret darzustellen, daß sie, wie Leserzuschriften bewiesen, richtig ankämen. Für einen ihrer Berichte wurde sie ausgezeichnet.

Gregor freute sich darüber und meinte: »Nun bist du über den Berg.«

Er ahnte nicht, wie wenig sie über den Berg war. Niemand ahnte es. Auch Ingrid nicht, deren echte Anteilnahme sie kannte und schätzte. Was aber hätte sie sagen sollen, da sie sich selbst noch keine Rechenschaft über die Gründe ihres Zustands abzulegen vermochte, da sie sich Tag für Tag aller Entwicklungen zu erinnern suchte, da sie sich immer wieder sogar Peters Bild ins Gedächtnis zurückrufen mußte. Manchmal war ihr, als verschwimme auch das, würde zu einem alten Foto, durch das Raster in unendlich viele Punkte zerlegt. Dieses Unvermögen, sich Peter zu vergegenwärtigen, war schrecklich, und damals lebte er doch noch … Sie träumte nachts von einem Mann, der vor ihr herging und dessen Silhouette ganz so aussah wie die ihres Sohnes. Dieselbe hohe schmale Gestalt, der etwas gesenkte Kopf, die gleiche Haltung. Sie beeilte sich, ihn zu erreichen, da beschleunigte er seine Schritte. Sie fing an zu laufen, erreichte ihn, berührte seine Schulter und sagte »Peter«. Da wandte er sich um: Es war nicht ihr Sohn. Ein fremdes Gesicht starrte sie an, erstaunt und verständnislos. Dieser Traum wiederholte sich.

Peters Briefe, erinnerte sie sich, kamen immer spärlicher und in immer größeren Abständen. Ihr Inhalt wurde immer allgemeiner und unpersönlicher. Das Unpersönliche erkannte sie bald als Absicht. Er vermied es, im Gegensatz zu früher, auf Politik, auf die Verhältnisse drüben einzugehen. Fragen dazu, die sie ihm ein-, zweimal stellte, beantwortete er nicht.

In einem Brief sprach er davon, daß Dorle einen gut bezahlten Job als Schreibkraft bei einem Rechtsanwalt gefunden habe, der ihr trotzdem noch genügend Zeit zum Studium lasse. Anne hätte gern gewußt, wovon Peter lebe, aber sie wagte nicht zu fragen.

Um wenigstens in Gedanken mit der Welt Peters verbunden zu sein, hatte sie sich damals ein Heft angelegt, in das sie alles, wovon sie glaubte, daß es Peter angehen könnte, einklebte. Nun, nach Peters Tod, holte sie es wieder hervor. Es waren Zeitungsausschnitte, aber auch Notizen und Bemerkungen u Rundfunksendungen und Fernsehnachrichten. Mit Gregor konnte sie damals über vieles noch nicht reden, und doch war es ein Glück, daß sie ihn hatte. Manches beurteilte er anders als sie, aber er beharrte nicht mehr auf seiner Meinung, versuchte entweder, sie zu überzeugen, oder ließ sich auch von ihr überzeugen. Schon damals wäre es schwer für sie gewesen allein zu sein, aber jetzt, nach Peters Tod, es wäre nicht auszudenken ...

Im November 1965 wurde zwischen der Regierung der DDR und dem Senat von Westberlin ein Protokoll über die Einreise von Westberliner Bürgern in die Hauptstadt der DDR unterzeichnet.

Anne hatte gewartet und gewartet. Das war doch eine Gelegenheit, wenigstens zu Besuch zu kommen. Aber weder Peter noch Dorle meldeten sich.

An einem Sonntagmorgen läutete das Telefon. Anne war länger liegengeblieben, als es ihre Gewohnheit war, und Gregor hatte ihr das Frühstück ans Bett gebracht. Das Telefon stand im Nebenzimmer, und Gregor ging hinüber. Anne hörte, wie er den Hörer abnahm, sich meldete, dann aber nicht wie sonst reagierte, sondern einen Laut des Erstaunens ausstieß und hastig sagte: »Sie liegt noch. Ich bringe ihr das Telefon.«

»Wer?« fragte Anne erregt. Sie hatte plötzlich die Hoffnung, daß es Peter sein könne.

»Dorle«, erwiderte Gregor und reichte ihr den Apparat. »Sie ist hier.«

»Kann ich zu euch kommen?« fragte Dorle. »Ich

wollte euch nicht so früh überfallen, deshalb rufe ich an.«

»Wieso bist du hier?« fragte Anne hastig. »Ist Peter...?«

»Nein, er ist nicht hier. Ich erzähle euch alles. In zehn Minuten bin ich da.«

Es dauerte wirklich nicht lange, aber Anne erschien es wie eine Ewigkeit. Sie erinnerte sich, in welcher Verfassung sie nach diesem Anruf gewesen, welche Gedanken sie sich gemacht hatte. War Peter krank? Hatte er politische Schwierigkeiten? In den Zeitungen hatte gestanden, daß man einige Studenten, die linken Verbindungen angehörten, verhaftet habe. »Warum ist Peter nicht mitgekommen?« überfiel sie Dorle anstelle einer Begrüßung. »Ist etwas mit ihm?«

»Nichts ist mit ihm. Er ist nur sehr eingespannt. Das erzähle ich euch alles. Du kannst mich ruhig begrüßen«, beruhigte sie Dorle. Dann begann sie zu berichten.

Wenn sie daran dachte, welche Erleichterung sie bei diesen Worten Dorles empfunden hatte, wurde ihr Zustand unerträglich. Nur mit Aufbietung aller Kräfte zwang sie sich, ihrem Leben weiter nachzugehen.

Sie erinnerte sich, daß sie, nachdem sie erfahren hatte, daß mit Peter alles in Ordnung sei, Dorle als einen Teil von ihm empfand. Dorle sah gut aus. Sie trug ein sportlich-strenges Kostüm, dessen Strenge durch die geöffnete Hemdbluse gemildert wurde. Jeder Kleinigkeit erinnerte sich Anne. Dorles Haare fielen immer noch in den Nacken, aber die Sicherheitsnadel, die sie ehedem zusammengehalten hatte, war durch eine modische Spange ersetzt. Sie trug hohe Hackenschuhe und sah überhaupt ganz anders aus. Sie bemerkte Annes musternden Blick und lachte. »Hab mich gemausert, was?« Sie machte eine Bewegung wie ein Mannequin, das Modelle vorführt. »Kommt mir selbst komisch vor«, fuhr sie fort, »aber es mußte sein, aus verschiedenen Gründen.«

»Aus politischen?« fragte Gregor, der sich zu den beiden Frauen gesetzt hatte.

»Auch aus politischen«, antwortete Dorle. »Man hat bessere Chancen, an manchen Dingen teilzunehmen, die man sonst nicht hätte. Aber auch meine Arbeit verlangt es. Peter hat euch darüber geschrieben. Ich bin eigentlich nur eine Schreibkraft bei Karden, aber er nennt mich seine Sekretärin.«

»Der Anwalt, bei dem du arbeitest?« unterbrach Anne.

»Ja, er heißt Karden. Dr. Karden. Er ist ein interessanter Mensch. Seine Klienten sind zu einem großen Teil linke Leute, manche vertritt er umsonst. Er ist kein Kommunist, das ist sein Glück, sonst hätten sie ihn schon fertiggemacht. Aber er war über das Verbot einer legalen Partei ebenso entrüstet wie ich es damals war, als ich in die Partei eintrat.«

»Und durch ihn bist du hierhergekommen?« fragte Anne.

Dorle nickte. »Dr. Karden vertritt einen Arzt, der gegen einen ehemaligen KZ-Aufseher, der frei herumläuft und eine schöne Rente bezieht, Anklage erhoben hat. Er lebt unter falschem Namen mit den

77

Papieren eines Toten. Das Schwein hat viele Häftlinge auf dem Gewissen. Durch einen Zufall begegnete der Arzt ihm und erkannte ihn. Er sah verändert aus, aber wenn man von einem Menschen mißhandelt wurde wie der Arzt von diesem KZ-Aufseher, dann vergißt man ihn nicht, dann erkennt man ihn, wie immer er sich auch tarnt. In der DDR existieren Dokumente, die Heidemann einwandfrei als Kriegsverbrecher ausweisen. Ich soll diese Dokumente einsehen und kopieren.«

»Warum kommt Dr. Karden nicht selbst her?« wunderte sich Anne. »Vielleicht könnte er persönlich manches über die Dokumente hinaus erfahren?«

Dorle warf ihre Haare mit einer energischen Kopfbewegung zurück. »Das erfahre ich auch«, sagte sie selbstbewußt. »Oder traust du mir das nicht zu?«

»Doch, doch«, entgegnete Anne etwas verlegen. »Ich dachte nur …«

»Vielleicht will der Anwalt nicht, daß man von seiner Verbindung mit Ostberlin erfährt?« warf Gregor ein.

Dorle warf ihm einen anerkennenden Blick zu. »Du hast recht, man würde eine Reise Kardens sofort mit dem Prozeß in Verbindung bringen, und das gefällt einigen Leuten nicht. Man weiß, daß in der DDR belastendes Material über Heidemann existiert und im Zusammenhang mit ihm auch über andere. Die Genossen hier haben den Behörden der BRD dieses Material angeboten, aber man ist bei uns an solchen Prozessen überhaupt nicht interes-

78

siert. Im Gegenteil. Schon einmal ist Beweismaterial auf mysteriöse Weise verschwunden. Jedenfalls ist es weniger verdächtig, wenn ich fahre. Obwohl ..., wissen kann man es nie, auch ich muß auf der Hut sein. Diese Nazis sind über vieles sehr gut informiert.«

»So stark sind sie wieder bei euch?« fragte Anne kopfschüttelnd.

Dorle lächelte spöttisch. »Angeblich nicht. Man versucht, die verschiedenen neofaschistischen Gruppen und Grüppchen – es sind nicht wenige – zu verharmlosen. Aber in der Regierungsspitze sitzt doch jetzt Lübke, den sie wieder zum Bundespräsidenten gewählt haben, obwohl die DDR Dokumente hat, die ihn schwer belasten.«

Immer wieder hatte Anne festgestellt, wie klar und sachlich Dorle die Verhältnisse beurteilte. Wie unbedingt sie das, was sie »verheuchelten Demokratismus« nannte, der mit echter Demokratie nichts zu tun habe, ablehnte. Sie erzählte vieles, aber allen Versuchen Annes, das Gespräch auf Peter zu bringen, wich sie geschickt aus.

Da schaltete Gregor sich ein. »Du sprichst über die Wichtigkeit der Arbeit unter den Studenten, aber du sagst nichts über Peter. Was ist mit seinem Studium? Er hat uns doch im vergangenen Jahr mitgeteilt, daß er an seiner Dissertation arbeite. Hat er nun schon promoviert? Warum teilt er das seiner Mutter nicht mit. Sie macht sich doch Sorgen um ihn.«

Anne war froh, daß Gregor es ihr abgenommen hatte, danach zu fragen. »Hat er uns das verheimlicht?« führte sie Gregors Frage weiter. »Warum? Oder ...?«

Dorles Augen verschatteten sich. »Ich habe gewußt, daß ihr danach fragen werdet«, sagte sie. »Aber ich bin ausgewichen, weil es mir schwerfällt, euch das zu sagen, was ich euch sagen muß. Man hat Peter exmatrikuliert.«

Anne hatte befürchtet, daß mit Peters Studium etwas schiefgegangen war, aber als sie es hörte, direkt und unverschleiert, traf es sie schwer. Sie fühlte sich außerstande, weiter zu fragen.

Abermals tat Gregor es. Auch er war erregt, aber er beherrschte sich. »Warum? Warum hat man ihn exmatrikuliert?«

Dorle antwortete nicht sofort. Es fiel ihr nicht leicht, den beiden, die von den wirklichen Verhältnissen in Westberlin wenig Ahnung hatten, vieles extremer und darum nicht genügend differenziert sahen, die Gründe klarzumachen. »Sie hatten schon lange etwas gegen ihn«, begann sie dann, nach Worten suchend. »Ihr habt das sicher noch nie so einschätzen können, aber Peter ist ein glänzender Redner. Die Studenten hören auf ihn. Seine Studienleistungen waren nicht anzufechten, also mußten sie anders, politisch gegen ihn vorgehen. Das fiel ihnen nicht schwer. Er griff den Senat einige Male heftig an, er war gegen den Alleinvertretungsanspruch der BRD und gegen die Notstandsgesetze, er wetterte gegen die Förderungsmaßnahmen der Regierung für die Monopole und verwies auf den Bildungsnotstand. Mit anderen Worten, alles bei ihm ist ihnen suspekt. Sie haben also eine Begründung für seine

Exmatrikulation zusammengeschustert, die von Verächtlichmachung und Verleumdung des Staates bis zu Verrat alles enthält. Die Beschuldigungen würden für einen Prozeß ausreichen, aber sie haben es zunächst bei der Exmatrikulation belassen. Schon das hat viel Staub bei den Studenten aufgewirbelt. Doch man hat ihn jetzt im Visier. Es kann sein, daß er einige Zeit aus Berlin verschwinden muß, ich soll euch das sagen, damit ihr euch nicht unnütz Sorgen macht. Aber er ist vorsichtig, weiß, worauf es ankommt, und die Zeiten ändern sich auch wieder.«

Die Worte Dorles waren auf Anne niedergeprasselt, jedes ein Gewicht, das schwer zu tragen war.

Wieder sprach Gregor Annes Gedanken aus: »Und warum kommt er nicht zurück?«

»Er sieht seine politische Aufgabe drüben, und er bittet euch, das zu verstehen, auch wenn ihr diese Aufgabe nicht so einschätzt, wie er sie einschätzt«, sagte Dorle. Sie sah Peter vor sich, wie er sie bat, mit den Eltern zu reden: »Sie werden wieder fragen, warum ich nicht zurückkomme. Es wäre ja so einfach und billig. Aber sie haben auch manches auf sich genommen, als es not tat. Besonders Mutter müßte es begreifen.« Dorle wandte sich Anne ganz zu. »Er bat mich, dich auch an das zu erinnern, was du dir vorgenommen hast: über die SU zu schreiben. Er hält das für sehr wichtig, weil alles, was mit der Sowjetunion zusammenhängt, was hilft, das Bild der Sowjetunion wahrhaftig und in seiner wahren Bedeutung zu zeigen, wichtig ist. Er schreibt dir noch.«

Anne wartete erneut, aber weder Peter noch Dorle meldeten sich. Anne schrieb Peter einen Brief an die alte Adresse. Er kam ungeöffnet zurück mit ein paar Begleitzeilen von Tete Dornbusch, Peter sei schon vor einiger Zeit, unbekannt, wohin, verzogen, Tete bedauere sehr, nichts anderes berichten zu können. Kurz bevor er ausgezogen sei, habe wieder eine Haussuchung bei ihnen stattgefunden, bei der man das Unterste zuoberst kehrte. Man habe aber nichts wirklich Belastendes gefunden. Trotzdem habe es ihm gereicht. Die Art, wie die Kripos – Tete vermutete, daß es solche waren – mit ihm umgingen, war nicht sehr fein. Vielleicht hatten sich die Leute geärgert, weil sie nichts Belastendes fanden.

Tete Dornbuschs Brief war in das Sammlungsheft eingeklebt. Zum erstenmal las Anne ihn wieder, und alles lebte auf, was sie schon damals empfand. Er war nicht dazu angetan, sie zu beruhigen. Das schlimmste war, daß sie wieder zum Nichtstun verurteilt war, denn was sollte sie tun? An wen konnte sie sich wenden?

Das Jahr verging.

Am 6. Oktober 1966 wurde zwischen Berlin-West und Berlin-Ost wieder ein Protokoll über Verwandtenbesuche in dringenden Familienangelegenheiten vereinbart.

Wenn ich krank würde, sehr krank, grübelte Anne, das wäre doch eine dringende Familienangelegenheit, bei der man einem Sohn vielleicht erlaubte, die kranke Mutter zu besuchen. Wenn sie nur irgendein Lebenszeichen von ihm bekäme.

»Er hat bestimmt Schwierigkeiten gehabt, so et

was haben wir doch auch gekannt. Du wirst sehen, wenn er irgend kann, wird er dir Nachricht geben«, versuchte Gregor sie zu beruhigen.

An einem Abend im März 1967 saß Gregor allein vor dem Fernseher. Anne schrieb noch einen Artikel. Gregor hatte sich mitten in eine Sendung eingeschaltet und hörte nun von der Bildung eines Koordinationsausschusses der außerparlamentarischen Opposition im Rahmen eines Republikanischen Klubs für Aktionen zur Anerkennung der DDR. Plötzlich fuhr er auf und schrie laut: »Anne! Anne!«

»Was ist?« fragte sie, und da Gregor nicht antwortete, kam sie herein.

Gregor starrte wie gebannt auf den Bildschirm. »Da war eben Peter«, sagte er aufgeregt. »Er war es, du kannst mir glauben, ich irre mich nicht. Vielleicht taucht er noch einmal auf.«

Sie sahen die Sendung bis zu Ende, doch Peter tauchte nicht mehr auf.

»Vielleicht hast du dich doch geirrt«, meinte Anne enttäuscht.

Aber Gregor beharrte darauf, es sei Peter gewesen.

Im März fand der bis dahin größte Ostermarsch der Atomwaffengegner in der Bundesrepublik statt mit über hundertfünfzigtausend Teilnehmern. Zum erstenmal gab es auch einen Ostermarsch in Westberlin.

Anne war damals abends nicht mehr vom Bildschirm wegzubringen. Vielleicht hatte Gregor doch recht gehabt, vielleicht hatte er Peter gesehn. Vielleicht konnte sie ihn, wenn es der Zufall wollte, unter den Demonstranten entdecken. Es war ihr bewußt, wie aussichtslos solche Hoffungen sein mußten, aber sie wollte es sich nicht eingestehn. Sie klammerte sich daran.

Gregor, der bedauerte, was er mit seiner Behauptung, Peter gesehn zu haben, angerichtet hatte, bemühte sich, ihr auszureden, Peter unter den Tausenden von Demonstranten erkennen zu können, doch sie war nicht davon abzubringen.

Am 2. Juni fand wieder eine Studentendemonstration statt, die vom Fernsehen übertragen wurde. Studenten protestierten gegen den angekündigten Besuch des Schahs von Persien. Mit einemmal entstand Unruhe, Polizei versuchte die Demonstranten aufzulösen, Studenten wehrten sich, einige wurden brutal zusammengeschlagen, zu den Überfallwagen geschleift. Kommandorufe mischten sich mit den Schreien von Menschen.

Anne erinnerte sich an die Demonstrationen in den dreißiger Jahren, es war alles wieder da. Und ihr Junge war vielleicht mittendrin. Plötzlich hörte sie ein dumpfes Geräusch. Ein Schuß. Ein vielstimmiger Aufschrei klang wie ein Chor. Erst am nächsten Tag erfuhren sie von der Ermordung des Studenten Ohnesorg durch einen Polizisten.

Wie erstarrt wiederholte Anne den Satz, den sie tags zuvor bei der Demonstration gebraucht hatte: Es ist alles wieder da.

Über den Tod des Studenten Ohnesorg wurde am nächsten Tag in Annes Redaktion gesprochen. Es ging darum, in welcher Form die Zeitung dazu Stellung nehmen sollte. Ein Kollege, der sich mit dem

Fall beschäftigt hatte, berichtete, daß allen Meldungen nach Ohnesorg kaum politisch aktiv gewesen sei. Er wurde von einem Zivilfahnder erschossen, das stehe fest. Der Fahnder gehörte einer »Greiftruppe« an, die bei dieser Demonstration erstmals probeweise eingesetzt worden war. Diese zivilen Polizisten sollten in doppelter Weise tätig werden, nämlich als Demonstranten und als Ordnungshüter.

»Polizeispitzel«, entfuhr es Anne.

Der Kollege, der berichtete, nickte ihr zu. »Eine besondere Art von Polizeispitzeln, ja. Ihre Aufgabe soll es sein, zuerst als Demonstranten zu fungieren, zu provozieren, um die sogenannten Straftäter zu entlarven und sie dann, möglichst abseits vom Geschehen, festzunehmen. Das Ganze scheint übrigens ein Vorspiel zum Schahbesuch gewesen zu sein. Von diesem Schahbesuch kann man noch einiges erwarten.«

An der lebhaften Diskussion, die diesem kurzen Bericht folgte und wo entschieden werden sollte, wie man zu diesen Ereignissen Stellung nehme, beteiligte sich Anne nicht. Sie sah im Geist die Demonstranten auf dem Bildschirm, die knüppelnden, schlagenden Polizisten und die als Demonstranten getarnten Fahnder, von denen sie eben gehört hatte. Und ihren Sohn dazwischen. Sie hörte, wie beschlossen wurde, zunächst nur kurz und sachlich zu berichten und den Schahbesuch abzuwarten.

Erst als sie schon im Aufbruch waren, fragte sie den Kollegen, der gesprochen hatte, ob er der Ansicht sei, daß es wieder zu Tätlichkeiten kommen werde.

Der Kollege schien offensichtlich erfreut, daß sie sich an ihn wandte. »Ich bin überzeugt davon«, antwortete er. »Auf diesen Schahbesuch scheint man sich drüben von allen Seiten her vorzubereiten. Die Presse ist voll davon. Wenn es dich interessiert, kann ich dir einen Beitrag aus ›Konkret‹ geben, einen offenen Brief von Ulrike Meinhof – der Name ist dir sicher ein Begriff? – an die Farah Diba. Die Meinhof weiß einiges über die Methoden dieses von einigen Leuten so gepriesenen Schahs zu berichten.«

»Er würde mich sehr interessieren«, erwiderte Anne.

Am nächsten Tag überreichte der Kollege ihr den aus der Zeitschrift »Konkret« ausgeschnittenen offenen Brief.

Ulrike Meinhof begann diesen offenen Brief mit der Feststellung, daß sie in der »Neuen Revue« einen Artikel von Farah Diba gelesen habe und darauf eingehen möchte:

»Guten Tag, Frau Pahlawi! Sie erzählen da: Der Sommer ist im Iran sehr heiß, und wie die meisten Perser reise auch ich mit meiner Familie an die persische Riviera am Kaspischen Meer.

Wie die meisten Perser – ist das nicht übertrieben? In Belutschistan und Mehran z.B. leiden die *meisten* Perser – 80 Prozent – an erblicher Syphilis. Und die *meisten* Perser sind Bauern mit einem Jahreseinkommen von weniger als 100 Dollar. Und den *meisten* persischen Frauen stirbt jedes zweite Kind – 50 von 100 – vor Hunger, Armut und Krankheit. Und auch die Kinder, die in vierzehnstündigem Tagewerk Teppiche knüpfen – fahren auch die – die *meisten*? – im Sommer an die persische Riviera am Kaspischen Meer?

Sie schreiben: In diesem Punkt ist das iranische Grundgesetz sehr strikt. Der Schah von Persien muß einen Sohn haben. Merkwürdig, daß dem Schah ansonsten die Verfassung so gleichgültig ist, daß keine unzensierte Zeile in Persien veröffentlicht werden darf, daß nicht mehr als drei Studenten auf dem Universitätsgelände von Teheran zusammenstehen dürfen, daß Mossadeghs Justizminister die Augen ausgerissen wurden, daß Gerichtsprozesse unter Ausschluß der Öffentlichkeit stattfinden, daß die Folter zum Alltag der persischen Justiz gehört. Der Anschauung halber ein Beispiel für Folter in Persien: ›Um Mitternacht des 19. Dezember 1963 begann der Untersuchungsrichter mit seiner Vernehmung. Zunächst befragte er mich und schrieb meine Antworten nieder. Später fragte er dann nach Dingen, die mich entweder nichts angingen oder von denen ich nichts wußte. Ich konnte also nur antworten, daß ich nichts wisse. Der Untersuchungsrichter schlug mir ins Gesicht und dann mit einem Gummiknüppel zunächst auf die rechte, dann auf die linke Hand. Er verletzte beide Hände. Mit jeder Frage schlug er erneut zu. Dann zwang er mich, nackt auf einer heißen Kochplatte zu sitzen. Schließlich nahm er die Kochplatte in die Hand und hielt sie an meinen Körper, bis ich bewußtlos wurde. Als ich wieder zu mir kam, stellte er erneut Fragen. Er holte eine Flasche mit Säure aus einem anderen Zimmer, schüttete den Inhalt in ein Meßglas und tunkte den Knüppel ins Gefäß …‹

87

Wir wollten Sie nicht beleidigen. Wir wünschen aber auch nicht, daß die deutsche Öffentlichkeit durch Beiträge wie Ihren in der ›Neuen Revue‹ beleidigt wird.

Hochachtungsvoll
Ulrike Marie Meinhof‹

»Der Name ist dir doch ein Begriff?« hatte der Kollege gefragt.

Anne hatte einiges von dieser Ulrike Marie Meinhof gehört. Sie schien keiner Partei anzugehören, wenigstens hatte Anne darüber nichts erfahren, aber sie hatte Stellung genommen gegen die politische Justiz, ihr Vorgehen wider die »kommunistischen Verschwörer«; gegen die Verletzung des Grundgesetzes durch die Einfügung der Wehrartikel und der Notstandsgesetze; gegen die Haltung der Bundesrepublik im Vietnamkrieg. Sie kam offensichtlich aus einem bürgerlichen Elternhaus, eine junge, gebildete Frau, Journalistin, in gesicherter Lebensstellung. Aber sie bekämpfte das soziale Unrecht mit einem Mut, die mancher Mann nicht aufbrachte.

Es ist gut, daß es solche Menschen wie diese Meinhof drüben gibt, dachte Anne, junge Menschen, die gegen die reaktionäre, faschistoide Entwicklung drüben angehen. Es ist auch gut, daß dieser offene Brief veröffentlicht wurde. Sie gab ihn Gregor zu lesen. »Was meinst du dazu?«

»Schrecklich«, antwortete Gregor. »Aber solche Zustände gibt es nicht nur in Persien. Richtig, daß ›Konkret‹ das veröffentlichte, besonders nach allem, was man drüben mit diesem Schah und seiner Farah Diba hermacht.«

»Ob Peter an dieser Demonstration teilnehmen wird?« fragte Anne. Ihre Frage hörte sich ganz natürlich an, es war ihr nicht anzumerken, daß sie sie schon seit Tagen mit sich herumtrug.

»Sicher«, entgegnete Gregor, ohne auf den Unterton, den er sehr wohl heraushörte, einzugehen. »Wir hätten doch früher auch teilgenommen.«

Anne nickte. Erst nach einer ganzen Weile sagte sie: »Warum er sich nicht meldet, nicht schreibt ...«

»Vielleicht hat er mit den Vorbereitungen für die Demonstration zu tun«, beruhigte sie Gregor.

Auch bei dieser Demonstration gab es Schüsse, wenngleich niemand erschossen wurde. Doch wenige Wochen wurde später auf Rudi Dutschke, ein führendes Mitglied des Sozialistischen Deutschen Studentenbundes, ein Attentat verübt. Dutschke wurde schwer verletzt.

Wieder saßen sie vor dem Fernseher und erlebten die Demonstration auf dem Bildschirm. Dieses Dabeisein und doch nicht Dabeisein, dieses Mitansehen schreiender, sich wehrender Menschen, ohne irgendwie eingreifen zu können, ließ Anne ihre Gespaltenheit noch intensiver empfinden. Wird mit dem Fernsehen ohnehin schon ein Zustand erzeugt, der Menschen so weit abstumpft, daß sie bei dem Anblick einer Mutter, die sich über ihr getötetes, ermordetes Kind beugt, essen oder trinken können, so kam bei Anne, die ständig und mit höchster Anspannung versuchte, Peter irgendwo zu entdecken, eine qualvolle Konfrontation von Bildschirmgeschehen und persönlichem, unmittelbarem Beteiligtsein hinzu, die schwer zu ertragen war.

Sie entdeckte ihren Sohn nicht, das beunruhigte sie einerseits und beruhigte sie gleichzeitig.

Erst im Februar 1969 kam ein Brief von Peter. Auf dem Briefumschlag eine Schweizer Marke. Als Absender irgendein »Herbert Ring« und eine Schweizer Adresse.

»Liebe Eltern,

endlich kann ich ohne Hemmungen und ohne Einschränkungen schreiben. Dorle hat Euch ja gesagt, daß es für mich unter Umständen notwendig sein werde, eine Zeitlang aus der Bundesrepublik zu verschwinden. Schon die Haussuchung, bei der man, wie bei der ersten damals, nichts fand, zeigte mir, daß ich auf der Abschußliste stehe. Die Lage spitzt sich ständig weiter zu. Von dem Mordanschlag auf Rudi Dutschke habt Ihr sicher gehört und gelesen. Schütz ist Nachfolger des Regierenden Bürgermeisters Albertz geworden, keine gute Nachfolge, obwohl er der SPD angehört. Oder vielleicht deshalb nicht gut? Er hat sich für verstärkte Unterdrückung der demokratischen Opposition ausgesprochen. Erinnerst Du Dich noch unseres Gesprächs, Mutter, wo es darum ging, ob man warten solle, bis die Situation reif ist, oder handeln? Warten führt zur Resignation, zur Selbstaufgabe. Wer jung ist, muß handeln! Heute! Sofort! Wie dieses Handeln aussehen soll, muß die jeweilige Situation ergeben. Provokationen der Regierung kann man nur mit Provokationen der Regierten begegnen. Mehr darüber zu schreiben vermag ich nicht. Dorle geht diesen Weg nicht mit, ich bin ihr darum nicht böse und liebe sie nach wie vor. Auch sie kämpft, aber auf ihre Weise. Sie wird Euch wahrscheinlich bald aufsuchen, wann, kann ich freilich nicht sagen.

Mutter, ich umarme dich! Grüße Vater, er ist mir ein guter Vater gewesen.

Euer Peter

P.S. Ich werde Euch eine Adresse schicken, wohin Ihr mir schreiben könnt, aber es kann eine Zeit dauern. Seid nicht ungeduldig.«

Der Brief hatte zwiespältige Gefühle bei Anne ausgelöst. Einerseits war sie wie immer glücklich, wieder etwas von dem Jungen gehört zu haben, andererseits fragte sie sich, warum Peter in der Schweiz sei, was er sich vorgenommen, in was er sich eingelassen hatte.

Sie wartete auf einen weiteren Brief, auf die angekündigte Adresse. Vergeblich. Auch Dorle kam nicht. Es gab niemand, mit dem sie darüber hätte sprechen können, von dem sie hätte erfahren können, wo die beiden sich aufhielten.

Das Jahr verging. Kein Anhaltspunkt, nichts.

Meldungen über Aktionen terroristischer Gruppen und Grüppchen, die sich die abenteuerlichsten Namen zugelegt hatten, verwandelten sich in Annes Kopf zu Schreckensbildern, bei denen der Sohn irgendeine nicht fest umrissene Rolle spielte.

Gregor wies jeden Gedanken an eine Verbindung Peters mit Terroristen zurück. »Wie du so etwas von ihm annehmen kannst, begreife ich nicht«, sagte er vorwurfsvoll. »Er weiß, wie sehr wir Kommunisten jeden Terror ablehnen.«

»Und Stalin?« fragte Anne leise.

»Das war furchtbar. Aber es ist nicht dasselbe.«

Immer von neuem hatte Anne über dieses Gespräch mit Gregor damals nachgedacht. Ohne jede Überlegung hatte er fremdgeprägte Worte wie »Terrorist« »Terrorismus« übernommen, obwohl er doch wußte, wissen mußte, wie sehr sie in der Bundesrepublik als gleichmacherische Stigmata für echte Anarchisten wie für echte Revolutionäre, die unter der großen Ungeduld litten, benutzt wurden. Oder hatte er sich, wie auch sie bislang, darüber nie Gedanken gemacht? Es gab keine Revolution, aber auch keine Konterrevolution ohne Terror. Wirkte er weltverändernd, ging er bejubelt oder aber verfemt in die Geschichtsbücher ein; kam er zur unrechten wenig umsturzträchtigen Zeit, blieb er historisch belächeltes oder verachtetes Marginal im großen Buch der Geschichte. Er hatte Tausende von Spielarten, er starb selbst tausend Tode und erstand doch wieder und wieder neu ...

Gregor versuchte nach Peters Tod auf rührend ungeschickte Weise alle Zeitungsmeldungen und Fernsehsendungen von ihr fernzuhalten, die von neuen Auseinandersetzungen, Anschlägen, Verhaftungen und Abschreckungsurteilen berichteten. Jede dieser Informationen traf sie, als wäre Peter erneut gestorben, und dennoch wollte sie alles erfahren und war Gregor für seine Abschirmmühen nicht dankbar. Sie hatte das Gefühl, als würde Peters Streben fortgesetzt, und obwohl sie wußte, wie töricht, wie sinnlos sie waren, besiegte Sympathie für manche der terroristischen Aktionen die sicher vernünftige Ablehnung.

Einmal noch, an einem trüben Tag im Januar 1970, war eine Nachricht von Peter gekommen. Er schrieb, daß alles etwas anders gelaufen sei, als er vorausgesehen habe, aber es ginge ihm gut. Am quälendsten sei für ihn der Gedanke gewesen, daß Mutter sich gewiß die größten Sorgen mache, aber aus bestimmten Gründen habe er nicht schreiben können. Dorle sei seinetwegen in Ungelegenheiten gekommen, obwohl sie sich ja getrennt hatten. Man habe versucht, aus ihr Informationen herauszupressen, die sie gar nicht geben konnte. Das sei der Grund, warum sie sich nicht gemeldet habe, bald aber würde sie das nachholen. Auch er hoffe, in nicht allzu ferner Zeit wieder einmal nach Hause kommen zu können, aber das sei noch zu ungewiß, um Konkretes mitzuteilen. Über die politischen Vorgänge in Westberlin seien die Eltern, soweit das über das Fernsehen möglich ist, sicher unterrichtet. Die Blütenträume der sechziger Jahre seien leider im Winde verweht ...

Obwohl dieser Brief nichts Besonderes über das Leben und die Lebensbedingungen Peters aussagte, war sie doch froh, von dem Sohn zu hören.

»Siehst du, ich habe es dir ja gesagt, er wird sich melden«, meinte Gregor.

Und wieder begann das Warten, eine zermürbende, endlose Qual.

Äußerlich sah man Anne kaum etwas an, sie arbeitete wie immer, nahm an den Redaktionsbespre-

chungen und Parteisitzungen aktiv teil, man hatt
sie in die Parteileitung gewählt. Sie besuchte soga
das Theater, wenn es vom Betrieb Karten gab. Eir
mal nahm sie Ingrid mit, weil Gregor verhinder
war. Sie sahen Brechts »Mutter Courage« im Berl
ner Ensemble. Es war eine gute Aufführung. In de
Pause gingen sie im Foyer auf und ab und sprache
über das Stück. »Kennst du diese Frau?« fragte Ir
grid plötzlich und wies mit einer kurzen Kopfbewe
gung auf eine schlanke, grazile Mittdreißigerin, di
an der Wand stand und die auf und ab promenierer
den Theaterbesucher musterte.

»Nein. Warum?« fragte Anne erstaunt. »Wi
kommst du darauf?«

»Sie hat dich vorhin so interessiert beobachte
Aber vielleicht gefiel ihr nur das Kleid, das du an
hast. Es steht dir gut. Du siehst überhaupt wiede
viel besser aus.«

»Wirklich?« fragte Anne zweifelnd und lächelt
müde. Wie gut, daß man mir wenigstens nicht an
sieht, wie mir zumute ist, dachte sie. Nicht nur da
Warten auf die Post vom Sohn zermürbte, sie ver
stand auch nicht, warum sie von Dorle nichts meh
hörte. In einem seiner letzten Briefe hatte Peter ein
Andeutung gemacht, daß Dorle seinetwegen Unan
nehmlichkeiten gehabt habe. Danach hatte er da
nicht mehr erwähnt. Wenn ich ihre Adresse hätte
würde ich ihr schreiben, grübelte Anne. Es ist alle
so undurchsichtig bei den beiden.

Einige Tage nach dem Theaterbesuch, sie saß i
der Redaktion und arbeitete, rief der Pförtner vo
unten an, da sei eine Dame, die sie sprechen wolle.

»Frau Lehmbrück«, hörte sie dann eine Stimme, die ihr ganz unbekannt vorkam. »Kann ich Sie kurz sprechen? Ich soll Sie von Dorle grüßen.«

Anne verschlug es die Sprache. Dann sagte sie hastig: »Bitte, können Sie einen Augenblick warten? Ich komme herunter, es ist gleich Arbeitsschluß.«

»Natürlich. Ich habe Zeit. Sie brauchen sich nicht zu beeilen.«

»Kann ich dir helfen?« fragte Ingrid, als sie sah, daß Anne mit hastigen Bewegungen begann, ihre Papiere zusammenzupacken.

»Stell dir vor, da kommt jemand von Dorle«, sagte Anne aufgeregt und stopfte die Manuskripte, die sie mitnehmen mußte, in die Aktentasche. »Ich laufe schon runter. Morgen erzähl ich dir alles.«

»Frau Lehmbrück? Ich heiße Schwammborn, Ellen Schwammborn«, stellte die Frau sich vor.

Anne starrte sie an. »Kenne ich Sie nicht?« fragte sie.

Die Frau lächelte. »Wir haben uns unlängst im Theater gesehen. Ihre Begleiterin hat Sie auf mich aufmerksam gemacht.«

»Das haben Sie bemerkt?«

»Das habe ich bemerkt. Wollen wir vielleicht irgendwohin gehen? In ein Kaffee oder …

»Darf ich Sie zu mir nach Hause bitten? Wir nehmen ein Taxi …«

Das Taxi hielt. Anne zahlte und bemerkte, daß Frau Schwammborn mit einem Blick die Umgebung des Hauses, dann einen Wagen, der hinter ihnen gekommen war, musterte, als wolle sie feststellen, ob ihnen jemand gefolgt sei.

Gregor war noch nicht da. Ganz gut, dachte Anne. So kann ich erst einmal feststellen, was sie von Dorle und möglicherweise auch von Peter weiß.

»Ich mache uns schnell einen Kaffee«, sagte sie und verschwand in der Küche. Als sie zurückkam, stand Ellen Schwammborn vor der Bücherwand und las die Titel der Bücher. »Interessant«, sagte sie, aber Anne wußte nicht, was sie interessant gefunden hatte.

Während Anne den Kaffee eingoß, konnte sie feststellen, daß sie sich im Theater sehr mit dem Alter der Frau geirrt hatte. Das war keine Mittdreißigerin, das war höchstens eine Mittzwanzigerin. Ein interessanter Typ, nicht schön, aber anziehend. Die Augen schrägstehend, beinahe mongolisch. Die Brauen schmal, hochgezogen, die Haare schwarz, glänzend. Es wäre gar nicht einfach, sie zu beschreiben. Dann blickte sie die junge Frau, die ihr gegenüber saß, erwartungsvoll an. »Wollen Sie mir jetzt bitte erzählen, wie es Dorle geht, was sie macht, wie sie lebt und vor allem, warum wir überhaupt nichts von ihr hören. Sie können sich vorstellen, wie ich darauf brenne, etwas zu erfahren.«

Ellen Schwammborn nickte. »Ich kann es mir vorstellen. Leider ist das, was ich Ihnen zu berichten habe, nicht sehr erfreulich. Man hat Dorle verhaftet, obwohl man keinerlei Unterlagen hat, gegen sie vorzugehn. Sie hatte sich von Peter ..., von Ihrem Sohn getrennt, weil sie die Verbindungen zu einer Gruppe, die er aufnahm, nicht billigte. Aber ich glaube, das wissen Sie. Sie sind keineswegs im bösen auseinandergegangen, aber Dorle hält Terror für keine geeignete Methode, politische Forderungen durchzusetzen. Darüber hat es echte Auseinandersetzungen zwischen den beiden gegeben. Doch gerade das ist es, was man Dorle vorwirft, nämlich einer Terrorgruppe anzugehören. Da man in ihrem Zimmer nichts Belastendes gegen sie fand, hat man ihr zwei Flugblätter unter ihre Papiere geschmuggelt. Das ist nichts Neues, ein altes Verfahren. Diese Flugblätter aber schreibt man der Gruppe zu, der Peter sich angeschlossen hat.« Ellen Schwammborn holte aus einer Seitentasche ihrer Kostümjacke zwei mehrfach geknickte Blätter, strich sie glatt und legte sie vor Anne auf den Tisch. »Bitte, lesen Sie.«

Hatte die Nachricht von Dorles Verhaftung und die Mitteilung, auf Grund welcher Unterlagen diese Verhaftung vorgenommen worden war, Anne schon genug aufgeregt, die Äußerung, daß Peter sich einer Terroristengruppe angeschlossen habe, verstörte sie vollends.

Sie beugte sich über das erste Flugblatt und las als Überschrift, mit großen Buchstaben: »ES IST NOTWEHR!« Darunter: »Wir sind auf die Straße gegangen, weil wir das im Grundgesetz verankerte Recht auf Demonstrationsfreiheit ernst genommen haben. Die Polizei setzte Wasserwerfer gegen uns ein, wir wurden niedergeknüppelt, es wurde auf uns geschossen. Halten wir fest: Wir haben Steine geworfen, nachdem zum zweitenmal auf uns geschossen wurde. Halten wir weiter fest: Solange Springer eine Mordhetze gegen uns verbreiten darf, solange sich die Parteien hinter Springer stellen, handeln wir in Notwehr!!«

Die Überschrift des zweiten Flugblattes war: »WIR WARTEN NICHT!« »Die Frage nach der Gewalt endet in der Frage, ob wir entschlossen sind, unsere Ziele zu erreichen. Wir wollen nicht warten, bis Generationen um Generationen zu geistigen und körperlichen Krüppeln gemacht werden. Wir wehren uns jetzt! Der aktive Widerstand gegen das System der Unterdrückung ist nicht nur eine Voraussetzung für die Befreiung der Menschen, sondern schon ein Teil seiner Verwirklichung.«

Anne schob die beiden Flugblätter beiseite. »Was soll das?« fragte sie verständnislos. »Das ist doch Wahnsinn. Damit nützen sie doch nur denen, die sie vernichten wollen. Ist das so schwer zu begreifen? Und in welchem Verhältnis stehen Sie zu diesen Gruppen?«

Ellen Schwammborn nahm die Flugblätter, hielt sie über einen Aschenbecher und zündete sie an. Erst nachdem sie verbrannt waren, sagte sie leise, wie um Entschuldigung bittend: »Ich gehöre auch zu jenen Leuten, die sagen, es müsse jetzt etwas geschehen, nicht erst morgen, übermorgen oder in soundso vielen Jahren. Sie werden das nicht begreifen, und Dorle begreift es auch nicht. Dennoch is sie ins Getriebe geraten, in den Strudel, der sie mi sich reißen, der sie zerstören kann, wenn nicht et was geschieht. Ich wollte Sie um Ihre Hilfe bitten aber das scheint wohl aussichtslos?«

Anne erschrak. »So habe ich das nicht gemein Außerdem gehört sie ja nicht zu denen, die mit alle Mitteln etwas erreichen wollen. Aber haben Sie e nen Vorschlag, was ich tun könnte?«

»Ja, ich habe einen Vorschlag. Sie haben einen Anwalt, der nicht nur hier, in der DDR, sondern auch
in der BRD zugelassen ist. Er hat bereits einige Prozesse geführt, die Aufsehen erregten. Auch politische Prozesse. Wenn Sie mit ihm sprechen würden,
wenn es Ihnen gelänge, ihn dazu zu bringen, daß er
Dorles Fall übernimmt ...«

Anne nickte. »Professor Quidam. Aber Dorle hat
doch bei einem Rechtsanwalt gearbeitet, den sie sehr
schätzt, einem Dr. Karden, wenn ich nicht irre. Würde
er sich nicht übergangen fühlen, wenn sie ...?«

»Dr. Karden steht leider selbst unter Anklage. Ich
weiß nicht, was man ihm vorwirft, aber seine Prozesse gegen Naziverbrecher haben manchen der
Ehemaligen, von denen viele ja noch in Amt und
Würden sind, nicht gefallen. Natürlich begründet
man die Anklage nicht damit, aber man findet schon
Gründe, wenn man sie finden will.«

»Ich werde es versuchen«, sagte Anne. »Ich weiß
nicht, ob es mir gelingt, aber ich werde alles tun, um
Professor Quidam zu gewinnen, Dorles Fall zu
übernehmen. Haben Sie die Möglichkeit, Dorle zu
verständigen?«

Ellen Schwammborn überlegte einen Augenblick
und sagte dann zögernd: »Ich denke, das wird möglich sein.« Sie erhob sich. »Ich habe es nicht anders
erwartet. Dorle hat mir viel von Ihnen erzählt. Sie
brauchen nicht zu erschrecken, wir sind im allge-
meinen ganz manierliche Leute, keine Herumerzäh-
ler und Gerüchtemacher!« Aus Ihre Worten klang
leicher Sarkasmus. Dann fuhr sie, wieder ganz
ernst, fort: »Wenn Sie mit mir sprechen wollen, ru-

fen Sie bitte diese Nummer an, verlangen Sie Karin, sagen Sie, daß Sie mit Ellen sprechen wollen. Sollte ich nicht dasein, bitten Sie, daß ich Anne anrufe. Nicht mehr. Bitte geben Sie die Telefonnummer nicht weiter. Das wäre es. Viel Glück zu Ihrem Gespräch mit Professor Quidam.«

Anne, die die ganze Zeit vorhatte, mit Ellen Schwammborn über Peter zu reden, und insgeheim hoffte, daß Ellen von selbst daraufkomme, hielt es nun nicht länger aus. »Wissen Sie, wo mein Sohn sich augenblicklich aufhält, Frau Schwammborn, und warum er überhaupt nichts von sich hören läßt?«

»Ich fürchte, daß Sie mir nicht glauben, wenn ich Ihnen sage, daß ich es im Augenblick nicht weiß. Aber ich werde es erfahren, und ich verspreche Ihnen, daß ich Sie dann auf irgendeine Weise verständige.«

»Und Sie selbst, bleiben Sie hier, oder fahren Sie wieder zurück?« fragte Anne.

»Das kann ich Ihnen nicht sagen, das hängt nicht von mir ab. Bitte fragen Sie mich nicht weiter. Sie haben, wie Dorle mir anvertraute, selbst eine Zeit in der Illegalität gelebt, wenn auch unter ganz anderen Umständen, Sie werden meine Haltung verstehen. Wenn Dorle herauskommt, werden Sie von ihr mehr erfahren. Hoffentlich kommt sie bald heraus. Auf Wiedersehen, Frau Lehmbrück.«

Als Gregor heimkam, schreckte Anne aus ihren Grübeleien auf und ging ihm entgegen. »Ich habe eben Besuch gehabt«, begrüßte sie ihn. »Eine junge Frau. Sie kam in die Redaktion und rief mich vom Pförtner unten an. Sie heißt Ellen Schwammborn. Ob sie wirklich so heißt, weiß ich nicht.«

»Einen Augenblick«, sagte Gregor und legte erst einmal seinen Mantel ab. »So«, fuhr er fort, Anne den üblichen flüchtigen Begrüßungskuß gebend. »Nun erzähle. Was wollte diese junge Frau?«

Wie immer ärgerte sich Anne über die betuliche Art ihres Mannes. Trotz der vielen Jahre, die sie nun schon zusammenlebten, konnte sie sich nicht daran gewöhnen. Aber wie immer ging sie darüber hinweg. »Sie teilte mir mit, daß man Dorle verhaftet hat, und bat mich, Professor Quidam dafür zu gewinnen, daß er Dorles Fall übernimmt.«

»Und warum hat man Dorle verhaftet?«

Kein Ausruf des Schreckens, keinerlei emotionale Reaktion. Dabei wußte Anne, daß Gregor Dorle mochte und daß er beteiligt war. Manchmal bewunderte sie diese klare, sachliche Haltung ihres Mannes. »Nach Aussage dieser Ellen Schwammborn wollte man von ihr Informationen über eine Terrorgruppe erhalten, zu der Peter Verbindungen zu haben scheint.«

»Hat sie das behauptet?«

Dieser Ausruf war von Emotionen geprägt. »Sie scheint etwas zu wissen, aber sie spricht nicht darüber. Dorle aber scheint weder mit dieser Gruppe noch mit irgendeiner anderen etwas zu tun zu haben. Das war ja auch der Grund, warum sie sich von Peter trennte. Dennoch führte man eine Haussuchung bei ihr durch, fand nichts und schob ihr zwei Flugblätter der Gruppe unter ihre Papiere, um einen Vorwand für ihre Verhaftung zu haben. Diese Methode ist nichts Neues bei solchen Haussuchungen.«

Gregor schüttelte den Kopf. »Ich weiß nicht, ob

das stimmt. Ich kann es nicht nachprüfen. Bei Dorle scheint es mir glaubhaft, so wie ich sie kennengelernt habe. Aber auch in so einem Fall ... müßte man wahrscheinlich nachweisen, daß ihr die Flugblätter untergeschoben wurden. Und wie kann man das?«

»Wie kann man das«, wiederholte Anne seine Worte. »Du hast recht. Ich werde zu Quidam gehen. Wenn er sich des Falles annähme, wäre viel gewonnen.«

Professor Quidam war ein vielbeschäftigter Mann. Von einer Schreibkraft, die bei ihm gearbeitet und die Anne zufällig kennengelernt hatte, war sie unterrichtet worden, daß Professor Quidam oft schon um sechs Uhr zu arbeiten beginne. »Der Mann ist ein Phänomen«, hatte die Schreibkraft gesagt, »er fährt acht Stunden und länger zu einer Verhandlung, meist selbst am Lenkrad, und hält dann eines seiner bekannten hieb- und stichfesten Plädoyers.«

Wie aber sollte man an diesen vielbeschäftigten Mann herankommen? Anne beschloß, es auf die einfachste Art zu versuchen. Sie rief an.

Die Angestellte in der Anmeldung, der Anne ihr Anliegen mit wenigen Worten erklärte, überlegte einen Augenblick und sagte dann, sie würde vorschlagen, daß Frau Lehmbrück die Angelegenheit mit einem Anwalt aus Professor Quidams Büro bespreche, der sie dem Professor vortrage. Sie nannte Anne den Tag und die Zeit, zu der sie sich im Anwaltsbüro einfinden solle.

Der noch recht junge Anwalt machte einen sympathischen Eindruck. Er stellte Fragen, die Anne, soweit sie konnte, beantwortete, und sagte dann:

»Daß Professor Quidam sehr viel zu tun hat, ja überfordert ist, brauche ich Ihnen wahrscheinlich nicht zu versichern. Aber es könnte sein, daß ihn dieser Fall interessiert aus menschlichen und politischen Gründen. Nur das kann ihn veranlassen, sich dieser jungen Frau drüben anzunehmen. Ich verständige Sie, sobald ich Ihnen etwas Konkretes mitteilen kann, Frau Lehmbrück.«

Es vergingen zwei Tage.

Anne wartete.

Sie suchte im Lexikon den Namen von Professor Quidam heraus. »Friedrich Karl stand da, geboren 1906, Jurist und Schriftsteller; trat als Verteidiger fortschrittlicher Persönlichkeiten in der BRD auf, ist auch als Autor von Belletristik und Dramatik hervorgetreten.« Dann wurden die Titel juristischer Arbeiten, seiner Romane, Fernseh- und Hörspiele und seine Auszeichnungen angegeben.

»Verteidiger fortschrittlicher Persönlichkeiten.« Eine fortschrittliche »Persönlichkeit« war Dorle ja nicht. Ob Professor Quidam Dorles Verteidigung trotzdem übernehmen würde?

Nach drei Tagen kam ein Anruf. Eine Männerstimme. Ob es der Anwalt war, mit dem sie gesprochen hatte, konnte Anne nicht feststellen. Die Stimme teilte ihr nur mit, daß sie sich Dienstag, acht Uhr, im Anwaltsbüro einfinden solle.

Anne schlief nicht. Sie legte sich zurecht, was sie Quidam alles über Dorle sagen mußte. Irgendwie, ohne daß sie sich das selbst eingestand, hatte sie das Gefühl, daß sie ihn auch bitten müsse, sich ihres

Sohnes anzunehmen. Noch war Peter nicht ange-
klagt, aber es war nicht auszuschließen, daß er ...
Sie versuchte, solche Gedanken zu verdrängen, sie
waren hartnäckig und kamen immer wieder.

Dienstag machte sie sich eher auf den Weg, als
notwendig gewesen wäre, aber im Wartezimmer saßen, trotz der frühen Stunde, bereits einige Leute.
Das wird lange dauern, dachte Anne. Doch nach
kaum fünf Minuten erschien eine Angestellte. »Frau
Lehmbrück?« fragte sie.

Anne stand auf.

»Bitte.«

Professor Quidam kam ihr, als sie das Zimmer be-
trat, entgegen. Heute, nach Jahren noch, erinnerte
sie sich beinahe jedes Wortes, das sie mit ihm gesprochen hatte.

»Tag, Genossin Lehmbrück«, begrüßte er sie.
»Nimm Platz.« Ganz selbstverständlich duzte er
sie. »Du bist mir keine Unbekannte«, fuhr er fort.
»Ich habe deine Beiträge in unseren Zeitungen bereits Ende der zwanziger, Anfang der dreißiger
Jahre gelesen. ›Welt am Abend‹, ›Berlin am Morgen‹
und natürlich in der ›Roten Fahne‹.«

»Und das weißt du noch?« fragte Anne verdutzt.

Quidam lächelte. »Ich habe ein gutes Gedächtnis.
Das hat mir schon manchmal vortreffliche Dienste
geleistet, besonders wenn es galt, Naziverbrecher zu
überführen. Und du kommst zu mir, damit ich die
Verteidigung deines Schützlings übernehme?«

»Schützling«, wiederholte Anne verwirrt. Er
hatte sie überrollt, und sie wußte im Augenblick
nicht, wo und wie sie beginnen sollte.

Ihre Hemmungen und ihre Verlegenheit schienen ihn zu belustigen. Anne hatte zwar Fotos von ihm in den Zeitungen, ihn selbst auf dem Bildschirm gesehen, aber er wirkte ganz anders; jünger, kreativer.

»Dann erzähl mir bitte, wer dieses Mädchen oder diese junge Frau ist, woher du sie kennst, in welcher Beziehung du zu ihr stehst und wie es zu der Verhaftung kam. Auch was man ihr anlastet«, forderte er sie auf.

Anne begann zu berichten, wie sie Dorle kennengelernt hatte und was sie von ihr wußte. Sie konnte nicht umhin, dabei auch über Peter zu reden. Sie bemühte sich, so objektiv wie möglich zu sein, aber es gelang ihr nicht ganz. Doch Professor Quidam ging darauf nicht ein. Als sie endete, begann er zu fragen. Sie hatte gesagt, daß Dorle aus einem sehr christlichen Elternhaus komme und daß dies der Grund gewesen sei, warum sie auszog. Jetzt wollte er wissen, ob sie mit den Eltern ganz und gar gebrochen habe oder ob man sich an diese um Auskünfte wenden könne. Anne hatte besonders betont, daß Dorle den Anarchismus, also auch jede Art terroristischer Tätigkeit, abgelehnt habe, aber daß sie im August sechsundfünfzig, als die KPD verboten wurde, ostentativ in die Partei eingetreten sei aus Empörung über das Verbot einer legal zugelassenen Partei. Anne hatte auch über die aktive Tätigkeit Dorles bei Volksbefragungen gegen Aufrüstung und Stationierung von Atomwaffen berichtet. Solche Volksbefragungen waren 1958 auch verboten worden. Es gab also genug Möglichkeiten, um gegen Dorle anhand dieser allerdings zurückliegenden Fakten vorzugehen.

Professor Quidam hatte sich, während Anne erzählte, Notizen gemacht. Zu Annes Verwunderung wollte er nun Details wissen, die scheinbar gar nichts mit der Sache zu tun hatten. Wie Dorle aussehe, ob sie kontaktfreudig oder eher zurückhaltend sei.

Seltsam, dachte Anne, warum stellt er mir solche Fragen? Aber sie öffnete ihre Handtasche, zog ein Foto heraus und reichte es dem Anwalt. »Das ist vor zwei Jahren aufgenommen, aber ich glaube nicht, daß sie sich sehr verändert hat«, sagte sie.

Professor Quidam betrachtete das Foto interessiert. »Ein nicht alltägliches Gesicht, schön, aber auch das nicht im üblichen Sinne. Ein sehr offenes und gleichzeitig sehr sensibles Gesicht. Hab ich es einigermaßen getroffen?«

Anne überlegte. »Nicht nur einigermaßen«, sagte sie. »Beides trifft zu. Ein gradliniger, ehrlicher, aber außerordentlich empfindsamer Mensch.«

Professor Quidam nickte zufrieden. »Ich mache mir von den Menschen, die ich zu verteidigen habe, gern eine möglichst genaue Vorstellung.«

»Du sagtest, von den Menschen, die ich zu verteidigen habe ...« Anne stotterte beinahe vor Aufregung. »Du willst die Verteidigung also übernehmen ...?«

Diesmal lachte Professor Quidam. Er sah die Frau an, die ihm da gegenübersaß, die die Fünfzig bestimmt bereits weit überschritten hatte, aber immer noch gut aussah und sich so für die Junge einsetzte, und er empfand eine Wärme, die wahrscheinlich von dem Wissen um den Weg herrührte, den diese Frau zurückgelegt hatte, der in manchem seinem eigenen Weg glich.

»Kann ich denn anders?« sagte er. »Natürlich werde ich deinen Schützling, werde ich Dorle verteidigen. Es wird nicht einfach sein. Unlängst hatte ich einen Prozeß, bei dem sie der Angeklagten vorwarfen, Mitglied der RAF zu sein. Sie war es nicht, und man konnte ihr auch keine Verbindung zur RAF nachweisen. Sie kannte lediglich einen Mann, und das flüchtig, der dazu gehören sollte. Aber sie war ein fortschrittlicher Mensch, der bei verschiedenen Gelegenheiten gegen die Aggression der USA in Vietnam und für die Anerkennung der DDR Stellung genommen hatte. Also wurde sie verhaftet und ihr ein Verfahren angehängt. Nach zwei Jahren Untersuchungshaft wurde sie wegen Verbindung zu staatsfeindlichen Gruppierungen zu zwei Jahren verurteilt, womit die Strafe abgegolten war.«

»Auf den bloßen Verdacht hin …, es ist alles so unvorstellbar, so unbegreiflich …«, sagte Anne, die an Peter dachte. »Manchmal kann man diese jungen Menschen verstehn, die da sagen, es müsse etwas geschehen.«

Das Gesicht des Anwalts verdüsterte sich. »Das ist ja gerade das Schwierige, daß man es versteht und vielleicht als junger Mensch genauso gedacht und gehandelt hätte und daß man es dennoch verurteilen muß. Nicht aus formalen Gründen, sondern weil es falsch ist und nichts verändert. Im Gegenteil. Das brauche ich dir ja nicht zu sagen. Du weißt es.« Er beugte sich ein wenig vor und sagte in ganz anderem Ton, mit zurückgenommener Stimme: »Du hast

Kummer mit deinem Sohn? Ich habe von ihm gehört, er hat unter den Studenten einen guten Namen. Sie schätzen ihn, weil er das Unrecht beim Namen nennt, weil er mutig ist und weil er, wie ich gehört habe, ein guter Redner ist. Aber das alles macht ihn bei denen, die dort das Sagen haben, verhaßt. Er lebt im Untergrund. Kennst du seine Adresse?«

Anne, die glücklich war, daß er auf den Sohn zu sprechen kam und die ihm atemlos zugehört hatte, schüttelte den Kopf.

»Sein letzter Brief war vom Februar neunundsechzig. Er kam aus der Schweiz. Er wollte uns eine Adresse schicken, wohin wir ihm schreiben könnten, aber es kam nichts. Dann noch einmal eine Nachricht im Januar siebzig, ohne Absender. Ich weiß nicht, ob er noch in der Schweiz ist, was nach allem, was er schrieb, nicht anzunehmen ist, oder ob er sich illegal in der Bundesrepublik aufhält. Diese Ellen Schwammborn, die mich über die Verhaftung von Dorle informierte, scheint etwas über ihn zu wissen, aber sie sagt es mir nicht. Vielleicht deshalb, weil ich in meiner Aufregung ein paar heftige Worte über den Terrorismus fallenließ. Ich weiß nicht, wo ich etwas erfahren könnte. Ich kann mich ja auch nirgends offiziell erkundigen. Kannst du mir einen Rat geben, Genosse Quidam?« Anne standen Tränen in den Augen, doch sie ärgerte sich im gleichen Augenblick über ihre Unbeherrschtheit. »Entschuldige bitte«, schloß sie.

»Da ist nichts zu entschuldigen«, beruhigte sie der Anwalt. »Ich verstehe doch, daß du dir Sorgen machst. Ich werde herumhören, ob ich etwas über deinen Sohn in Erfahrung bringen kann. Wenn ich etwas höre, verständige ich dich. Auch über alles, was ich im Fall Dorle erreiche. Du mußt nur ein wenig Geduld haben.« Er drückte ihr die Hände und wischte ihr gestammeltes »Ich weiß nicht, wie ich dir danken kann« mit einer Handbewegung weg.

Aus irgendeinem ihr selbst unverständlichen Grund hatte sie damals das Gefühl, indem sie Dorle helfe auch Peter zu helfen. Sie hatte gespürt, daß sich Bedrohliches um ihn zusammenzog, geahnt, daß er einen Weg ohne Rückkehr beschritten hatte; das Empfinden hilfloser Ohnmacht, von dem sie damals so oft überfallen worden war, ähnelte dem, das sie jetzt immer wieder überkam, wenn sie, bewegungslos im Sessel hockend, das Heft mit den Zeitungsausschnitten, Dokumenten und Notizen auf den Knien, dem Geschehenen nachsann. Dabei mußte sie kaum einen Blick auf die dort eingehefteten Papiere werfen, so oft hatte sie diese gelesen, daß sie beinahe jedes auswendig kannte.

Als Anne Professor Quidam nach ihrer ersten Begegnung verlassen hatte, fühlte sie sich wie beschwingt. »Stell dir vor, er will die Verteidigung übernehmen«, begrüßte sie ihre Freundin Ingrid in der Redaktion. Dann erst begann sie zu erzählen.

»Du siehst richtig erholt aus heute«, stellte Ingrid fest.

»Ich fühle mich auch besser, er hat mir wieder Mut gemacht. Er will auch versuchen, etwas über Peter herauszubekommen.«

Gregor freute sich mit ihr. »Du wirst sehen, es wird noch alles gut werden«, bemühte er sich, ihr bißchen Hoffnung nach der langen Depression zu stärken.

Aber damit erreichte er nur das Gegenteil, weil dieses »es wird noch alles gut werden« sich abgenützt hatte.

Das groß angekündigte Treffen zwischen dem Ministerpräsidenten Stoph und dem Bundeskanzler Brandt in Erfurt am 19. März 1970 schien die Hoffnungen vieler Menschen auf bessere Beziehungen der beiden Staaten zu erfüllen. Es schien sich wirklich etwas zu bewegen, manche begrüßten den Bundeskanzler, als käme mit ihm die große Wende.

Auch Gregor meinte, dieses Treffen würde sich höchstwahrscheinlich auswirken.

»Du denkst, es kann auch bei der Verhandlung gegen Dorle eine Rolle spielen?« fragte Anne. Sie griff nach jedem Strohhalm.

Sie hatte versucht, Ellen Schwammborn gleich nach ihrem Gespräch mit Professor Quidam anzurufen, aber unter der angegebenen Nummer meldete sich niemand. Sie versuchte es wieder und wieder, zu den verschiedensten Tageszeiten, da ertönte zwar das Rufzeichen, aber entweder ging niemand an den Apparat, oder es war keiner in der Wohnung. Es konnte sich natürlich um eine Störung handeln, aber Anne kannte den Namen der Anschlußbesitzerin nicht.

An einem späten Nachmittag, als Anne von der Arbeit heimkehrte, hörte sie plötzlich, als sie ihr Haus beinahe erreicht hatte, daß jemand hinter ihr

;ing. Sie beschleunigte ihre Schritte, da sagte dieser
emand leise: »Guten Abend, Frau Lehmbrück.«

Anne wandte sich um und stand einer fremden
Frau gegenüber. »Ich bin Karin«, sagte sie. »Ellen
Schwammborn hat Ihnen meine Telefonnummer ge-
geben.«

Auch diese Frau war jung, keine Dreißig, aber sie
hatte etwas Fremdländisches an sich und sprach mit
einem leichten Akzent.

»Unter der Telefonnummer, die mir Ellen
Schwammborn gab, hat sich niemand gemeldet«,
sagte Anne mißtrauisch. »Wie kann ich wissen, daß
Sie ...«

»Ich bin Karin«, wiederholte die Frau. »Bitte
glauben Sie mir. Kann ich Sie kurz sprechen? Ich
werde Ihnen alles erklären.«

»Bitte, kommen Sie.« Anne ging vor und schloß
auf. »Treten Sie ein.«

Gregor war schon zurück. »Du hast Besuch?«
fragte er erstaunt, als er Anne mit einer Unbekann-
ten eintreten sah. »Störe ich?«

»Das ist mein Mann, und das ist Karin«, stellte
Anne vor. »Nein, du störst nicht. Karin ist die Bekannte von Ellen Schwammborn, deren Telefonnummer sie mir gab. Ich habe sie eben erst persönlich kennengelernt, weiß bisher auch nur ihren Vor-
namen ...«

Der Frau, die sich Karin nannte, schien die Anwe-
senheit des Mannes nicht angenehm zu sein. »Ich
komme vielleicht ein andermal ...«, versuchte sie
dem Gespräch aus dem Wege zu gehen.

»Aber warum denn?« unterbrach Anne sie. »Wir

können ruhig sprechen. Ich habe vor meinem Mann keine Geheimnisse.«

Einen Augenblick zögerte die Frau, dann nahm sie, einer Geste Annes folgend, Platz. »Ich heiße Kramer, Karin Kramer«, begann sie. »Der Name ist angenommen, ich sage Ihnen das gleich, damit Sie sehen, daß ich Vertrauen zu Ihnen habe. Ich bin ebenso wie Ellen, eine gute Bekannte von Dorle, ja ich kann sagen, daß wir beide mit ihr befreundet sind. Ich bin hergekommen, um Sie zu unterrichten, daß Ihre Bemühungen Erfolg hatten, daß Professor Quidam die Verteidigung Dorles übernahm. Aber das wissen Sie sicher. Doch daß er gestern mit seiner Mandantin sprach, wird Ihnen noch unbekannt sein. Die Angelegenheit Dorles steht nicht schlecht, von den beiden Flugblättern ist keine Rede mehr, was man ihr anhängt ist die Verbindung zu Peter, von dem man behauptet, daß er zum ›harten Kern der RAF‹ gehöre, was überhaupt nicht stimmt. Leider kann Peter aus seiner Anonymität nicht heraustreten, weil er sich einer Gruppe angeschlossen hat, deren Mitglieder gleichfalls polizeilich gesucht werden. Jetzt will man durch Dorle Peters Aufenthalt herausbekommen oder ihn vielleicht so weit bringen, daß er sich selbst stellt. Das wird er natürlich nicht tun, weil er ihr damit nicht nützen, sondern schaden könnte. Das war es, was ich Ihnen mitteilen wollte, Frau Lehmbrück. Dorle läßt Sie grüßen.«

Anne hatte aus den letzten Worten der Frau nur das eine herausgehört: daß Peter polizeilich gesucht wurde. »Ich danke Ihnen«, sagte sie erregt. »Bitte grüßen Sie Dorle wieder, wenn Sie eine Möglichkeit dazu haben. Aber was wissen Sie von meinem Sohn?«

Gregor, nicht weniger erregt, hatte sich mit Mühe zurückgehalten. »Sie sprachen von einer Gruppe, der Peter sich angeschlossen habe, Leute, die gesucht werden«, ergriff er nun das Wort. »Sie werden verstehn, wie sehr das meine Frau und auch mich beunruhigt. Was sind das für Leute? Sind es Studenten?«

Die Frau wurde reservierter. »Da bin ich leider überfragt«, antwortete sie. »Aber wenn ich es wüßte, würde ich es Ihnen auch nicht sagen. Ihre Frau hat doch selbst einmal konspirativ gearbeitet, das ist heute nicht anders als damals, vielleicht noch gefährlicher. Es ist auch Ihres Sohnes wegen besser, wenn Sie beide nichts wissen. Es tut mir leid ...«

Sie grüßte kurz, ging zur Tür, wandte sich aber noch einmal um. »Über Dorle werden Sie jetzt sicher von Professor Quidam weiter informiert werden.«

Einen Augenblick wollte Anne die Frau zurückhalten, wollte sie bitten, ihr doch wenigstens etwas mehr über den Sohn mitzuteilen, aber sie ließ es. Diese Frau würde nichts preisgeben, auch nicht ihr, der Mutter, und wahrscheinlich hatte sie recht.

Gregor schien dieselben Gedanken gehabt zu haben, und er sprach sie aus: »Von ihr hätten wir nichts erfahren. Ob du nicht mit Professor Quidam reden solltest?«

Anne nickte. »Ich habe ihm bereits eine Andeutung gemacht. Wenn er mich wegen Dorle kommen läßt, werde ich ihm von dem Gespräch heute erzählen. Ihm kann man unbedingt vertrauen. Hoffentlich ruft er bald an ...«

Er rief nicht an, statt dessen kam ein Brief. »Liebe Genossin Lehmbrück, ich habe die Vertretung von Dorle (Dorothea Reiter) übernommen, und man hat mich zu ihr gelassen. Ein prächtiges Mädel, ich wollte, es gäbe mehr von dieser Sorte. Einzelheiten erfährst Du bei unserer nächsten Zusammenkunft. Vorläufig nur soviel: Man hat keinerlei Beweise gegen sie in Händen. Die Anklage wegen der Flugblätter hat man fallenlassen, auch die Aussage eines ›Zeugen‹ ist nachweisbar erfunden und nicht aufrecht zu halten. Dennoch mußt Du ein wenig Geduld haben, denn man versucht den Prozeß, wie immer, hinzuziehen. Ich werde mich bemühen, das zu verhindern. Wieweit es mir gelingt, ist nicht abzusehen. Ich bitte Dich, diese Mitteilung zunächst nur als Zwischenbescheid aufzufassen, ich werde Dich weiter auf dem laufenden halten und bin mit besten Grüßen

Dein Friedrich Karl Quidam.

P.S.: Über Deinen Sohn habe ich bislang leider nichts in Erfahrung bringen können, aber ich gebe es nicht auf.«

Nichts ist deprimierender als endloses, sinnloses Warten. Anne hatte es in den Jahren, seit Peter fort ging, geübt, aber sie gewöhnte sich nicht daran. Nun da sie nicht mehr zu warten brauchte, erlebte sie es noch einmal, im Nachvollziehen ihres Lebens. Bitterer, quälender, weil nichts mehr zu erwarten war.

Sie erinnerte sich der Angst, die sie in jener Zeit nach Erhalt des Briefes ständig erfüllte, einen Anruf nicht zu hören, ihn zu überhören, obwohl sie ein gutes Gehör hatte. Wenn das Telefon läutete, stürzte sie zum Apparat, meldete sich atemlos und war nicht imstande, ihre Enttäuschung zu verbergen, wer immer es auch sein mochte. Sie litt an Halluzinationen, vermeinte ein Klingeln zu hören, wenn es gar nicht geläutet hatte, so daß Gregor sie besorgt fragte, ob sie krank sei, ob sie sich nicht untersuchen lassen wolle. Sie lehnte ab, scherzte sogar, ob das eine Anspielung sei, so alt sei sie doch noch nicht, und nahm sich zusammen. Fortan ging sie erst, nachdem es zumindest zweimal geklingelt hatte, an den Apparat.

An einem Mittwochabend, sie hatten spät gegessen, dann noch ein wenig ferngesehen und waren im Begriff, sich schlafen zu legen, meldete sich das Telefon. Anne, die in der Nähe des Apparates saß, beherrschte sich mühsam. Als es das zweitemal klingelte, nahm Gregor den Hörer ab. »Bei Lehmbrück«, meldete er sich. »Ja«, sagte er dann und nochmals: »Ja, ich werde Ihnen meine Frau geben.« Darauf, die Muschel zuhaltend, erstaunt: »Dorles Mutter.«

Anne glaubte nicht recht gehört zu haben. Jeden anderen hätte sie eher erwartet. Eigentlich wußte sie gar nichts von dieser Mutter; von Peter hatte sie lediglich erfahren, daß Dorle aus einem sehr christlichen Elternhaus komme und daß sie deshalb ausgezogen sei. Es war seltsam, daß diese Mutter sie anrief.

Auf ihr »Anne Lehmbrück« antwortete eine Frauenstimme: »Hier ist Gudrun Reiter. Entschuldigen Sie bitte, daß ich Sie noch so spät anrufe, aber ich bin vorher nicht durchgekommen. Ich werde morgen in Ostberlin sein, könnte ich Sie bei dieser Gelegenheit kurz sprechen? Es liegt mir viel daran, Ort und Zeit können Sie bestimmen.«

Die Stimme hörte sich frisch und angenehm an, diese Mutter mußte noch jung sein. »Wenn Sie zu mir kommen wollen«, antwortete Anne, »dann würde ich Sie bitten, um siebzehn Uhr dazusein. Soll ich Ihnen meine Adresse geben?«

Zu Annes Überraschung antwortete Dorles Mutter: »Ihre Adresse ist mir bekannt, wie ich ja auch Ihre Telefonnummer habe. Ich werde um siebzehn Uhr bei Ihnen sein. Vielen Dank.«

»Kannst du dir vorstellen, warum sie gerade zu mir kommt?« fragte Anne.

»Du wirst es ja morgen hören«, antwortete Gregor. »Vielleicht will sie von dir etwas über Peter erfahren.«

»Das wäre möglich«, stimmte Anne zu. »Merkwürdig ist es trotzdem.«

Sie kam pünktlich, überpünktlich. Hatte es Anne schon überrascht, daß Dorles Mutter sie aufsuchte, so war die Person der Mutter selbst eine noch größere Überraschung. Anne hatte sich eine ältere, strenge Frau vorgestellt. War diese Vorstellung schon durch die Stimme ein wenig in Frage gestellt worden, die Frau, die nun vor ihr stand, war das genaue Gegenteil. Man hätte sie eher für eine Schwester Dorles halten können, die gleichen blonder

Haare, nur in einem Knoten zusammengefaßt, die gleichen wachen Augen, die gleiche schlanke Gestalt.

»Sie haben sich ein anderes Bild von mir gemacht?« sagte Frau Reiter lächelnd. »Ich kenne das. Wenn meine Tochter über mich spricht, werde ich zu dem Schema, das sie sich von mir aufgebaut hat, um ihre Opposition gegen mich zu rechtfertigen. Dabei stehen wir gar nicht so schlecht miteinander, ich hänge an dem Kind, und ich glaube, in einer gewissen Weise hängt sie auch an mir. Aber ich weiß nicht, ob Sie das interessiert . . .?«

»Es interessiert mich sehr«, versicherte Anne. Immer noch wußte sie nicht, warum die Frau zu ihr gekommen war.

»Gewiß, wir beide, mein Mann und ich, sind gläubige Christen«, fuhr die Frau fort. »Wir haben unsere Tochter auch in diesem Sinne erzogen. Und als sie aus der Kirche austrat . . .«

Sie unterbrach sich plötzlich. »Wußten Sie, daß sie austrat?«

»Ich wußte es nicht«, antwortete Anne. »Aber ich hätte sie auch nie danach gefragt.«

Frau Reiter wurde verlegen. »Bitte entschuldigen Sie, ich hätte mir das natürlich denken können. Für uns war es bitter, aber wir haben es ihr nicht vorgeworfen. Es gab trotzdem viele verbindende Gemeinsamkeiten zwischen Dorle und uns. Unser Kampf gegen den Faschismus, gegen den Krieg, gegen alle Arten von Rassismus. Das hat meinen Mann ja auch 1944, er war damals noch sehr jung, ins Zuchthaus gebracht.«

»Ihr Mann war im Zuchthaus?« fragte Anne überrascht. »Warum hat uns Dorle das nicht gesagt ...?«

»Auch das ist bezeichnend für sie«, antwortete Frau Reiter. »Man hätte dann annehmen können, das Vorbild des Vaters hätte sie dazu gebracht, sich politisch zu engagieren. Doch das würde sie nie zugeben. – Aber Sie wollen sicher von mir wissen, warum ich zu Ihnen gekommen bin. Ich durfte meine Tochter im Gefängnis besuchen, durch sie erfuhr ich, daß Professor Quidam ihre Verteidigung übernommen hat und daß Sie ihn dazu veranlaßten. Dafür möchten wir Ihnen von ganzem Herzen Dank sagen. Wir haben Professor Quidam einmal in einem Prozeß erlebt, in dem er eine Antifaschistin vertrat, eine Jüdin, die Auschwitz überlebte. Sie erhob Anklage gegen eine ehemalige KZ-Aufseherin, die viele Menschen auf dem Gewissen hatte. Der Richter, ein ehemaliger Nazirichter, führte die Verhandlung so, als sei die Klägerin die Angeklagte und die Angeklagte die Klägerin. Die Empörung bei einem großen Teil des Publikums im Gerichtssaal war so groß, daß es einige Pfuirufe gab, worauf zwei junge Leute aus dem Saal entfernt wurden. Aber Professor Quidam ließ sich durch die Haltung des Gerichts nicht einschüchtern. Er griff an, er charakterisierte die Aufseherin als eine Verbrecherin, eine Mörderin, die frei herumlaufe und sogar vom Staat noch Geld erhalte. Sein Plädoyer war so geschliffen und pointiert, daß er Beifall bekam, was den Richter dazu brachte, zu drohen, er würde den Saal räumen lassen.« Frau Reiter machte eine Pause, als erwarte

ie eine Bemerkung Annes. Aber diese nickte nur
und schwieg. »Doch ich bin nicht nur zu Ihnen gekommen, um Ihnen zu danken«, sprach Frau Reiter
weiter. »Ich wollte Ihnen auch noch sagen, daß
Dorle sich große Sorgen um Ihren Sohn macht.«

Wenn Anne jetzt, nach dem Tode Peters, an dieses
Gespräch zurückdachte, war es immer dieser Satz,
der damals schon ihre eigenen Sorgen, Befürchtungen und Ängste zusammenfaßte. Sie hörte sich fragen: »Um meinen Sohn? Aber sie haben sich doch
getrennt ...«, sie hörte die zögernde, unschlüssige
Antwort: »Ich weiß nicht ..., es ist vielleicht besser ...«, und ihre eigene Stimme: »Bitte, ich möchte
alles wissen, was meinen Sohn betrifft. Alles!
Warum macht Dorle sich seinetwegen Sorgen?«

»Dorle hängt immer noch sehr an Ihrem Sohn«,
sagte die Frau. »Ich hatte schon die ganze Zeit während unseres harmlosen Gesprächs bemerkt, daß
Dorle mir etwas sagen wollte und daß die Anwesen-
heit der Polizeibeamtin sie daran hinderte. Als wir
uns verabschiedeten, die Zeit war ja sehr schnell um,
umarmte sie mich, was sie sonst nie getan hatte. Dabei drückte sie mir ein Zettelchen in die Hand, einen
›Kassiber‹. Ich bin solche Ungesetzlichkeiten nicht
gewöhnt, aber ich glaube, ich hielt mich ganz gut.
Die Polizeibeamtin hatte nichts bemerkt. Ich habe
diesen Zettel gleich vernichtet, nur etwas habe ich
aufgeschrieben, die frühere Adresse Ihres Sohnes.«

Anne hatte mit steigendem Interesse zugehört,
jetzt konnte sie einen erstaunten Ausruf nicht unterdrücken.

»Hören Sie weiter«, fuhr Dorles Mutter fort. »Dorle teilte mir mit, daß Ihr Sohn unbedingt gewarnt werden müsse. Daß er sich in eine Sache eingelassen habe, eine ›gefährliche Aktion‹, die verraten worden sei. Um was es sich handelt, schreibt sie leider nicht. Sie bat mich, zu Ihnen zu fahren und Sie zu bitten, daß Sie sich mit Professor Quidam in Verbindung setzen, damit er Peter vor kopflosen Aktionen warnt, weil er ja jederzeit ungehindert hinüber und herüber fahren kann. Jetzt aber kommt das Unangenehmste: Dorle kennt Peters jetzigen Aufenthaltsort nicht, sie hat nur seine frühere Adresse.« Sie reichte Anne ein Papier. »Sie meint, wenn er als Dorles Anwalt mit den Leuten spräche, bei denen Peter früher wohnte, vielleicht würde es ihm gelingen, daß sie ihm Peters Adresse mitteilen.«

»Wenn sie ihnen bekannt ist«, warf Anne ein.

»Wenn sie ihnen bekannt ist«, wiederholte Dorles Mutter. »Dorle schreibt, daß sie mit Professor Quidam gesprochen hätte, als er sie besuchte, aber damals wußte sie von der Sache noch nichts.«

»Ich werde mit Professor Quidam reden«, sagte Anne entschlossen. »Er hat zwar sehr viel zu tun, aber wenn er hört, daß es dringend ist, wird er für mich Zeit haben. Wenn ich nur wüßte, was das für eine Sache ist, in die Peter …«

Nachdem Dorles Mutter gegangen war, versuchte Anne das Anwaltsbüro anzurufen. Sie befürchtete schon, niemand zu erreichen, da meldete sich die Sekretärin.

Sie war nicht erstaunt, daß Anne noch so spät anief. Der Professor arbeite meist so lange, wenn er in Berlin sei, meinte sie. Sie bedauerte aber, ihn im Augenblick nicht stören zu können, da er eine wichtige Besprechung habe. »Ich werde es ihm gleich danach mitteilen«, versicherte sie.

Die Besprechung schien sich hinzuziehen.

»Weißt du, wie spät es ist?« fragte Gregor, der inzwischen heimgekehrt war. »Es hat keinen Sinn, länger zu warten, er ruft sicher morgen an.«

Da läutete das Telefon. Professor Quidam war selbst am Apparat. Anne entschuldigte sich auch bei ihm für ihren späten Anruf, aber er unterbrach sie. Ich kann mir vorstellen, daß es etwas Wichtiges ist, Genossin Lehmbrück«, sagte er. »Ich habe dir auch etwas mitzuteilen. Ich erwarte dich morgen, sieben Uhr. Kannst du so früh?«

»Ich könnte auch früher«, erwiderte sie aufgeregt. »Danke!«

Er lachte kurz und legte auf.

Auch diesmal kam er ihr entgegen, forderte sie auf, Platz zu nehmen, fragte, ob er Kaffee machen lassen solle. Sie lehnte dankend ab.

»Im Fall Dorle ist eine Wende zum Besseren eingetreten«, teilte er ihr mit, »aber inzwischen ist etwas geschehen, das unter Umständen Auswirkungen auf unsere Sache haben kann, wenigstens ist das nicht auszuschließen. Hast du gestern etwas über die Befreiung und die Flucht von Andreas Baader in Westberlin mitbekommen?«

Anne schüttelte erstaunt den Kopf. »Ich habe gestern weder etwas im Rundfunk gehört noch im Fernsehen gesehen. Baader, ich weiß nur, daß er oft im Zusammenhang mit Ulrike Meinhof genannt wurde.«

Professor Quidam legte einen Bogen Papier vor sie auf den Tisch. »Das ist eine Ablichtung des Fahndungsaufrufs«, fuhr er fort, »er hängt heute überall in der Bundesrepublik aus.«

»Mordversuch« las Anne als Überschrift in ganz großen Buchstaben. Darunter, etwas kleiner: »10 000 DM Belohnung«. Schließlich das Bild einer jungen Frau: »Ulrike Meinhof«. Darunter, ganz klein, eine Personenbeschreibung: »35 Jahre alt, 165 cm groß, schlank, längliches Gesicht, langes, mittelbraunes Haar, braune Augen.« Und der Fahndungsaufruf: »Am Donnerstag, dem 14. Mai 1970, gegen 11 Uhr wurde anläßlich der Ausführung des Strafgefangenen Andreas Baader in Berlin-Dahlem, Miquelstraße 83, und seiner dabei durch mehrere bewaffnete Täter erfolgten Befreiung der Institutsangestellte Georg Linke durch mehrere Pistolenschüsse lebensgefährlich verletzt. Auch zwei Justizvollzugsbeamte erlitten Verletzungen.

Der Beteiligung an der Tat dringend verdächtig ist die am 7. Oktober 1934 in Oldenburg geborene Journalistin Ulrike Meinhof, geschiedene Röhl.

Die Gesuchte hat am Tattage ihren Wohnsitz in Berlin-Schöneberg, Kufsteiner Straße 12, verlassen und ist seitdem flüchtig. Wer kann Hinweise auf ihren jetzigen Aufenthalt geben?

. Für Hinweise, die zur Aufklärung des Verbrechens und zur Ergreifung der an der Tat beteiligten Personen führen, hat der Polizeipräsident in Berlin eine Belohnung von 10 000 DM ausgesetzt.«

Es folgte ein Hinweis, daß die Belohnung nur für die Bevölkerung und nicht für Beamte gelte und daß Mitteilungen auf Wunsch vertraulich behandelt würden.

Unterschrift: »Der Generalstaatsanwalt bei dem Landgericht Berlin«.

Während sie das las, stieg in ihr der Verdacht auf, daß Professor Quidam sie das aus einem bestimmten Grund lesen ließ. Wollte er sie darauf aufmerksam machen, daß Peter zu dieser Gruppe gehöre...? Unfähig, danach zu fragen, starrte sie den Rechtsanwalt an. Dorles Mutter hatte von einer »gefährlichen Aktion« gesprochen. Die Befreiung eines Gefangenen konnte, wie in diesem Fall, wo ein Mensch beinahe getötet worden war, eine »gefährliche Aktion« sein.

Wie nahe sie damals der Wahrheit gekommen war, dachte Anne, Erinnerung an Erinnerung fügend.

Professor Quidam schien ihre Gedanken zu erraten. »Nicht darum solltest du das lesen, weil ich deinen Sohn mit diesem Geschehen in irgendeine Verbindung bringe. Die Fahndung nach Ulrike Meinhof beschäftigt mich nur sehr. Ich habe sie einmal zusammen mit Röhl kennengelernt. Nach dem Tode von Ulrikes Mutter nahm Renate Riemeck, die mit der Mutter befreundet gewesen war, ihre beiden Töchter bei sich auf. Ulrike war damals vierzehn Jahre alt.«

»Ich habe viele Artikel von Ulrike Meinhof gelesen«, sagte Anne nachdenklich. »Kluge, kämpferische Artikel gegen die einseitige USA-Orientierung

123

der Bundesrepublik, gegen die Diskriminierung von Kommunisten, gegen Berufsverbote; ich habe ihren offenen Brief an die Farah Diba einmal zitiert. Ich hielt sie für eine richtige Revolutionärin.«

»Sie war eine Revolutionärin«, bestätigte der Anwalt. »Und sie glaubt bestimmt auch heute noch, eine zu sein. Aber der Weg war ihr zu lang. Sie sah, wie vieles nicht voranging, stagnierte. Die Studentenbewegung zum Beispiel, die einst so große Hoffnungen weckte. Dorle und Ulrike haben übrigens manches gemeinsam, nicht äußerlich, aber in ihrem Wesen, in ihrer Unbedingtheit. Doch Dorle hat erkannt, daß Terrorismus kein Mittel ist, revolutionäre Ziele schneller durchzusetzen, daß er im Gegenteil die staatliche Gewalt in den Augen der Massen autorisiert, während Ulrike sich für den Weg entschied, den sie für kürzer hält. Es ist tragisch: Ich sehe keinen Ausweg für sie. Man wird sie jetzt jagen, das ist nur eine Frage der Zeit … Aber du wolltest mit mir sprechen. Handelt es sich um deinen Sohn? Hast du Nachricht von ihm?«

Anne verneinte und erzählte von dem überraschenden Besuch, den sie gehabt hatte. »Dorles Mutter begreift natürlich auch nicht, auf welche Weise Dorle Kenntnis von dieser ›Aktion‹ erhalten hat. Sicher aber ist, daß sie davon erfahren hat und daß offenbar auch das Bundeskriminalamt oder der Verfassungsschutz davon erfuhren. Lieber Genosse Quidam, kannst du uns helfen, Peter zu warnen? Dorle kennt seinen jetzigen Aufenthaltsort nicht, sie kennt nur die Adresse, wo er vorher gewohnt hat. Sie meint, wenn du … kraft deines Ansehens, deiner Persönlichkeit mit den Leuten, wo Peter wohnte, sprechen würdest. Dir würden sie vielleicht verraten, wo er sich aufhält.«

Anne hatte hastig, aber beherrscht geredet, nur ihren Händen merkte man an, wie erregt sie war.

Professor Quidam legte seine Hand beruhigend auf ihre. »Wir wollen in Ruhe überlegen, Genossin Lehmbrück. Natürlich muß alles geschehen, um deinen Sohn zu warnen, aber mit den Leuten zu sprechen, bei denen er früher wohnte, halte ich für aussichtslos. Wahrscheinlich kennen sie seinen jetzigen Aufenthaltsort gar nicht, sollten sie ihn aber kennen, werden sie ihn nicht preisgeben, weil sie damit ja zugeben würden, mehr über ihn zu wissen. Wir müssen einen anderen Weg finden. Ich werde beantragen, mit meiner Mandantin erneut zu reden, da sich durch den Widerruf des Zeugen einiges geändert hat. Vielleicht weiß sie etwas Konkretes über diese sogenannte Aktion. Ich verständige dich sofort, wenn ich etwas erfahre, du verständigst mich ebenfalls, wenn du etwas Neues hörst. Kopf hoch, Genossin Lehmbrück, noch ist nichts verloren.«

Monate vergingen. Es geschah nichts. Anne atmete auf.

Professor Quidam hatte von Dorle erfahren, daß es sich bei der »gefährlichen Aktion« tatsächlich auch um einen Befreiungsversuch von Häftlingen handelte. Linksextremisten, die nicht der RAF, sondern einer Gruppe angehörten, die sich nach Che Guevara nannte. Aber diese »Aktion« fand nicht statt.

»Entweder sie haben es aufgegeben oder verschoben«, meinte der Anwalt. Trotz aller Bemühungen hatte er nichts über den Aufenthalt von Peter Lehmbrück herausbekommen können.

Die Sache mit Dorle zog sich hin, wie er vorausgesagt hatte. Man warf ihr Sympathisantentum, ja Komplizenschaft mit Terroristen vor. Es war ihr nichts nachzuweisen, der Zeuge, der gegen sie ausgesagt und dann widerrufen hatte, war in einem anderen Prozeß, in den er verwickelt war, als Kontaktmann des Verfassungsschutzes entlarvt worden. Zu dieser Entlarvung hatte Professor Quidam beigetragen. »Etwas müssen sie Dorle anhängen«, sagte er, »damit es mit der Untersuchungshaft ausgeglichen wird. Aber lange können sie sie nicht halten.«

Er sollte recht behalten. Drei Monate später war sie frei.

Anne wartete auf eine Nachricht von Peter. Er mußte sich doch melden, er wußte, wie sehr sie darauf wartete.

Dann kam der Brief ...

Das Ende ...

Es war nicht das Ende. Es war der Beginn einer langen, zermürbenden Zeit, in der sie über das Geschehene nachdachte, in der sie ihr Leben zurückverfolgte bis zu dem Tage, da der Sohn das Elternhaus verließ. Peters Tod war eine Wunde, die nicht mehr heilen würde, aber ohne aufzuarbeiten, was gewesen war, hätte sie nicht leben können.

Auch für Gregor war Peters Tod ein schwerer Schlag gewesen. Er liebte den Jungen, freilich auf seine Weise. Ihre Gefühle waren sehr verschieden nicht nur, weil Gregor nicht der leibliche Vater war. Gregors Weltbild war fest gefügt, nichts konnte es erschüttern. Darum begriff er die Ungeduld des Jungen nicht. Anne billigte sie auch nicht, aber sie verstand Peter.

Hätte Peter länger gelebt, vielleicht hätte er den Unterschied zwischen der großen Ungeduld des Terroristen und der brennenden Geduld des wirklichen Revolutionärs begriffen.

Aber was heißt das schon ... Geschichte wird nicht begriffen, sondern erlebt, durchlebt. Gäbe es ein vorgezeichnetes Gesetz, dem sie planvoll folgte, so wäre es aller Aufgabe, dies zu ergründen. Doch sie hält für die Menschen nicht mehr als einige große Gesetzmäßigkeiten bereit, die sich als Summe allen Wollens und Wirkens, allen Lebens und aller Tode tendenziell durchsetzen. Indem wir Grenzen erkennen, die der geschichtliche Prozeß setzt, können wir sie möglicherweise sprengen. Indem wir, in unserer Ungeduld, Geduld auf Geduld häufen, erreichen wir vielleicht nächste Ziele.

Marx spottete einmal über die »Dreiunddreißig«, eine anarchistisch-kommunistische »revolutionäre« Gruppierung: »Die Dreiunddreißig sind Kommunisten, weil sie sich einbilden, sobald *sie* nur den guten Willen haben, die Zwischenstationen und Kompromisse zu überspringen, sei die Sache abgemacht, und wenn es, wie ja feststeht, dieser Tage ›losgeht‹ und sie nur ans Ruder kommen, so sei übermorgen ›der Kommunismus eingeführt‹. Wenn das nicht sofort möglich, sind sie also auch keine Kommunisten. Kindliche Naivität, die Ungeduld als einen theoretisch überzeugenden Grund anzuführen.«

Anne hatte, ihren Weg zurückverfolgend, die schwersten Zeiten ihres Seins wieder erlebt, durchlebt. Sie beschloß nun, nach allem, den Wunsch ihres Sohnes zu erfüllen, das Tagebuch neu zu schreiben, aus heutiger Sicht, heutiger Zeit, mit ihrem Wissen um Wege und Irrwege, Freude und Kummer, Glück und Unglück. Vielleicht würde ihr Dorle bei der Arbeit helfen können. Sie fühlte sich alt, am Ende ihrer Kräfte, hoffte auf die Geduld und Ungeduld der Jungen.

Wieder schaute sie hoffnungsvoll auf die Sowjetunion. Wieder las sie Marx: »Die Revolution, die hier nicht ihr Ende, sondern ihren organisatorischen Anfang findet, ist keine kurzatmige Revolution. Das jetzige Geschlecht gleicht den Juden, die Moses durch die Wüste führt. Es hat nicht nur eine neue Welt zu erobern, es muß untergehen, um den Menschen Platz zu machen, die einer neuen Welt gewachsen sind.«

Sie hatte den Weg durch die Wüste erlebt. Sie hatte das Gelobte Land in der Ferne schimmern sehen. Sie war bereit, den Nachkommenden Platz zu machen.